Wolf Haas

SILENTIUM!

Roman

Rowohlt Taschenbuch Verlag

15. Auflage März 2006

Originalausgabe
Veröffentlicht im Rowohlt Taschenbuch Verlag,
Reinbek bei Hamburg, Juni 1999
Copyright © 1999 by Rowohlt Taschenbuch Verlag GmbH,
Reinbek bei Hamburg
Redaktion Wolfram Hämmerling
Umschlaggestaltung Notburga Stelzer
(Illustration: Jürgen Mick)
Satz Baskerville PostScript (PageOne) bei
Dörlemann Satz GmbH & Co. KG, Lemförde
Druck und Bindung Clausen & Bosse, Leck
Printed in Germany
ISBN 3 499 22830 0

I

Jetzt ist schon wieder was passiert. Und ausgerechnet im Marianum, wo man glauben möchte, da kommt der brave Bauernbub als Zehnjähriger auf der einen Seite hinein und acht Jahre später als halbfertiger Pfarrer auf der anderen Seite wieder heraus. Kein Wunder, daß so lange niemand Verdacht geschöpft hat. Weil eigentlich unfaßbar, daß ausgerechnet in der saubersten Internatsschule von ganz Salzburg so etwas möglich war.

Aber weil ich gerade sage sauber. Das ist natürlich nicht im streng hygienischen Sinn gemeint. Weil gestunken hat es schon immer ein bißchen im Internat, sprich Ausdünstung von Internatsbuben nicht immer ganz Rosengarten. Und wie sie dann im Marianum auf einmal einen Detektiv gebraucht haben, sind dem auch in den ersten Tagen vor allem die eigenartigen Gerüche aufgefallen. Weil so ein Internat hat Gerüche, die findest du sonst nirgends.

Schulklassen stinken natürlich immer, das stimmt schon, da kriegen ja die Lehrer sogar eine eigene Belastungszulage, und finde ich vollkommen richtig. Weil wenn du mit zwanzig, dreißig Halbwüchsigen in eine Klasse eingesperrt bist, kommst du natürlich schon auf Gedanken, daß du den einen oder anderen Schüler, der sowieso nichts begreift, gern gegen ein Duftbäumchen eintauschen würdest.

Aber Internat noch einmal ganz was anderes. Wie der Brenner im Marianum angekommen und in das leerstehende Hilfspräfektenzimmer eingezogen ist, hat ihn der Geruch sofort an die Polizeikasernen erinnert. Weil neunzehn Jahre Polizist gewesen, bevor er sich selbständig gemacht hat, und da erinnert dich im restlichen Leben natürlich alles an die Polizei.

Und ob du es glaubst oder nicht, jedes Stockwerk in dieser riesigen alten Internatsburg hat wieder seinen eigenen Geruch gehabt. Aber richtig zuordnen haben sich die Gerüche trotzdem nicht lassen. Küche und Speisesaal waren zwar im Erdgeschoß, aber die ranzigen Essensgerüche sind durch das ganze Haus gezogen, und obwohl sie die neue Hauskirche direkt in das Dach hineingepflanzt haben, also vier Stock von der Küche entfernt, hat sie oft gerochen wie das reinste Wirtshaus.

Architektonisch war die Dachkirche ein Meisterwerk, da haben sie vor zehn Jahren ein supermodernes Vogelnest auf die alten Klostermauern gesetzt, und beim Eintreten hat dich fast der Schlag getroffen, weil Kirchendecke komplett aus Glas, praktisch Himmel zum Greifen nahe. Aber geruchstechnisch problematisch. Weil aus irgendeinem Grund hat es die Küchendämpfe hinaufgesaugt.

Aber unglaublich, wie schnell der Mensch sich an neue Gerüche gewöhnt, und am dritten Tag hat der Brenner sie schon gar nicht mehr richtig wahrgenommen. Natürlich kein Problem, weil er ist ja vom Internatsleiter sowieso nicht angestellt worden, damit er die Gerüche analysiert. Der Herr Regens hat ja nicht einen Detektiv für die Gerüche gebraucht! Sondern paß auf, was ich dir sage.

Normalerweise war der Brenner nicht so ein Feinspitz

bei den Gerüchen. Wenn du neunzehn Jahre bei der Polizei warst, dann hast du genug Gelegenheiten gehabt, um dir solche Empfindlichkeiten abzugewöhnen. Und der Brenner sowieso nie sehr auf der überzüchteten Seite. Schon rein das Äußerliche. Ein untersetzter Brocken mit einem Gesicht, an dem die Pockennarben noch das Glatteste waren, weil ihm die beiden steilen Falten gleich zentimetertief in die Wangen geschnitten haben. Sprich nur eine Preisfrage mit sehr geringem Schwierigkeitsgrad, ob es sich hier eher um einen österreichischen Exbullen oder um einen berühmten französischen Parfumschnupperer handelt.

Daß ihn ausgerechnet im Marianum auf einmal die Gerüche so beschäftigt haben, das war wieder einmal, wie soll ich sagen, da möchte ich gar nichts beschönigen. Das war eben der Brenner. Das ist ihm beim Ermitteln oft schon ein bißchen im Weg gestanden. Immer das Unwichtige zuerst. Das war eine Krankheit, von der ist der Brenner einfach nicht losgekommen. Immer mit der Kirche ums Kreuz. Bei der Polizei haben seine Vorgesetzten versucht, es ihm auszutreiben, aber nichts da, der Brenner ist nicht einen Millimeter von seiner Methode abgerückt. Und das Schlimmste daran ist, sie ist ansteckend. Ich merke ja gerade, daß ich auch mit dem Unwichtigsten angefangen habe. Weil am Ende vier Tote, da braucht man sich an und für sich nicht eine Ewigkeit mit den Gerüchen aufhalten. Aber wo ich schon dabei bin, erzähle ich dir noch ganz schnell, wie es dazu gekommen ist, daß den Brenner auf seine alten Tage auf einmal die Gerüche so interessiert haben.

Gleich an seinem ersten Tag im Marianum hat ihn der

junge Regens für zehn Uhr am Abend in sein Büro gebeten. Paß auf, das ist einfach zu merken, der Regens ist der Chef, und die Präfekten sind die Unterchefs. Der Brenner hat sich zuerst gewundert, daß so ein junger Mann überhaupt schon Priester sein kann, und dann gleich der Chef von der erzbischöflichen Spezialschule für Priesternachwuchs, praktisch heikle Mission. Aber der junge Regens hat seine Sache gut gemacht, Würde und alles. Und er war es auch, der gesagt hat, so geht das nicht weiter, ein Detektiv muß her, der das alles aufklärt.

Wie die Digitaluhr, für die seine Polizeikollegen vor drei Jahren zu seinem Abschied zusammen gezahlt haben, auf 22:00 Uhr gehüpft ist, hat der Brenner an die Tür geklopft. Geöffnet hat ihm aber nicht der Regens, weil der ist nicht allein in seinem Büro gewesen. Die Tür aufgemacht hat ihm der alte Präfekt mit der Hasenscharte, der dem Brenner schon am Nachmittag das leerstehende Hilfspräfektenzimmer im dritten Stock zugewiesen hat. Der hat einen kurzgestutzten, grauen Vollbart gehabt, wodurch man die Hasenscharte zuerst gar nicht richtig gesehen hat. Aber es ist immer eine verteufelte Angelegenheit mit dem Fehlerverstecken, das ist wie bei den Glatzköpfen, die sich ihre letzten Haare drüberkämmen, dann sehen sie nur um so kahler aus. Oder meinetwegen wie bei den Mördern, die sich extra unauffällig benehmen, und schon klicken die Handschellen, nur weil du zu einem Polizisten gesagt hast, schönes Wetter heute.

Jetzt hat man die Hasenscharte durch den Bart zwar kaum gesehen, aber der Sprachfehler dadurch natürlich um so auffälliger. Wahrscheinlich in der Kindheit Operationen und alles, jetzt hat der alte Präfekt ein bißchen eigenartig geredet, ungefähr wie die Leute mit den dritten Zähnen, wenn sie ihr prächtiges Gebiß schon zum Übernachten in das Kukident-Glas gelegt haben. Dem Brenner ist jetzt sogar vorgekommen, daß auch seine Stimme ein bißchen eigenartig war, wie er ihm den zweiten Präfekt im Regens-Büro vorgestellt hat: «Unser Sportpräfekt Fitz.»

Die drahtigen Haare vom Sportpräfekt haben beim Händeschütteln gewackelt wie Antennendrähte, quasi herzliche Begrüßung. Dem Brenner ist aufgefallen, daß er im Gegensatz zu den beiden anderen keinen schwarzen Priesteranzug mit silbernem Ansteckkreuz getragen hat, sondern nur eine Bluejeans und ein weißes Hemd. Einfache Erklärung, er war kein Priester, sondern Laienpräfekt. Und weil der Sportpräfekt zwischen dem Regens und dem Hasenscharterpräfekt gesessen ist, hat sich für den Brenner dann ein eigenartiges Bild ergeben, wie dieses Wort, das so ähnlich wie sympathisch klingt. Links ein Schwarzer, rechts ein Schwarzer, und in der Mitte ein Weißer, ja: symmetrisch! Und fast so steif wie auf den alten Ölbildern, die die Gänge vom Marianum so verdüstert haben und deren Ölgeruch zusammen mit dem Küchenöl und dem Bodenöl die Luft eingefettet hat, praktisch Museum.

Das wäre dem Brenner aber bestimmt nicht aufgefallen, wenn nicht über den drei Häuptern in goldenen Buchstaben eine Inschrift geleuchtet hätte:

«Silentium!»

Die Inschrift ist direkt an der Wand vom Regens-Büro gestanden, deshalb hat die ganze Szenerie für den Brenner momentan ein bißchen wie aus einer anderen Welt

9

ausgesehen. Dabei hat er diese Inschrift schon tagsüber in allen Gängen und Studiersälen und sogar in den Waschsälen gesehen, da sind die Zöglinge auf Schritt und Tritt ermahnt worden: «Silentium!» hier, «Silentium!» da. Und ich muß sagen, volles Verständnis, weil in einer Bubenschule mußt du natürlich immer furchtbar aufpassen, daß dir der Lärm nicht vollkommen über den Kopf wächst, das ist ein Geschrei den ganzen Tag, da könnte es dir als Erzieher leicht passieren, daß du einmal entnervt in so einen Lärmhaufen hineinschießt, und vor lauter Pausengeschrei hörst du dein eigenes Maschinengewehr nicht.

Jetzt haben sie das im Marianum gleich im Keim erstickt, da haben sie gesagt, damit fangen wir gar nicht an, die meiste Zeit hat nur geflüstert werden dürfen, und die restliche Zeit überhaupt komplett Silentium. Ist natürlich schon ein bißchen gespenstisch, wenn ein paar hundert Kinder überhaupt keinen Mucks machen. Und vielleicht war auch das ein bißchen mit der Grund, daß die Gerüche so in den Vordergrund getreten sind.

Jetzt interessanter Zusammenhang: Gerade für das Silentium war der Sportpräfekt der wichtigste Mann. Das ist nicht wie in der Politik oder beim Fernsehen, wo man sagt, der Dümmste soll den Sport übernehmen, sondern im Gegenteil, in einem Knabeninternat Sport fast das wichtigste. Weil der Jugendliche hat natürlich eine Energie, das glaubst du gar nicht, und die muß irgendwo hin, sonst wird er dir so nervös, da kannst du das Silentium hundertmal anschreiben, ohne Sport hoffnungslos, weil ohne Sport mußt du schon froh sein, wenn er dir nicht das Küchenmädchen in Stücke reißt.

Aber heute abend hat der junge Regens selber das Küchenmädchen gespielt, sprich, er hat aufgetischt, daß der Besprechungstisch völlig unter den Köstlichkeiten verschwunden ist: Familienpackung Erdnüsse, Familienpackung Kartoffelchips, Familienpackung Soletti, Familienpackung Salzgebäck, Familienpackung Goldfischli, Familienpackung Tuc-Salzkekse. Weil ich glaube, wenn du heute keine eigene Familie haben darfst, willst du wenigstens auch ab und zu eine Familienpackung vernichten, quasi Amoklauf.

Wie der Brenner gesehen hat, daß der junge Chef-Geistliche eine Familienpackung nach der anderen aufreißt, hat er sich erinnert, daß er einmal auf dem Kondomautomaten der Linzer Polizeikantine gelesen hat: «Günstige Familienpackung». An und für sich schlechte Wortwahl, weil man mit diesem Produkt die Familie ja gerade verhindern will. Vorsichtshalber hat der Brenner sich jetzt gleich ein paar Erdnüsse in den Mund gestopft, damit er das nicht erzählt. Weil im Beisein von zwei Priestern vielleicht eine unangemessene Bemerkung.

Und da sieht man wieder, was so eine Mauerinschrift helfen kann. Weil ohne das goldene «Silentium!», das ihn von der Wand her gemahnt hat, wäre dem Brenner die Bemerkung bestimmt herausgerutscht. Ihm ist aufgefallen, daß der Künstler die Schrift sehr schön gestaltet hat, ganz zierliche Buchstaben, aber für das «t» in der Mitte hat er keinen richtigen Buchstaben verwendet, sondern ein schlichtes Kreuz hineingeschwindelt.

Wenn man natürlich das mit den Kondomen nicht sagt, passiert es leicht, daß man gar nichts sagt. Und die drei Präfekten haben auch nichts gesagt. Aber ob du es glaubst oder nicht, Silentium ist trotzdem keines aufgekommen, weil das Salzgebäck hat zwischen den Zähnen geraschelt, Kindergeburtstag nichts dagegen.

«Vielleicht ein Bier?» hat der junge Regens endlich gefragt.

Der Hasenschartenpräfekt hat alle zehn Finger gespreizt und seine Hände ein paarmal hin und her gedreht, als wäre er noch unschlüssig, wie er antworten soll. Dann hat er aber doch mit seiner sonderbaren Stimme herausgequetscht: «Ein Schluck könne nicht schaden.»

Könne! Einen Moment lang hat der Brenner geglaubt, es ist eine spezielle Priesterförmlichkeit, bei der man das harte «t» wegläßt und so indirekt, wie es nur geht, sagt: Ein Schluck *könne* nicht schaden. Aber der wahre Grund, warum ihm das «t» entschlüpft ist, war natürlich der gespaltene Gaumen. Weil du darfst eines nicht vergessen. Heute kann man die Hasenscharten schon wunderbar reparieren, aber der Präfekt bestimmt schon über sechzig Jahre alt, und damals haben sie ja nur die schlechtesten Schuster zu Chirurgen umgeschult. Da hast du von Glück reden können, wenn ihnen bei der Operation das Messer nicht zu oft abgerutscht ist.

Wie der junge Regens die Bierkiste hereingeschleppt hat, ist dem Brenner aufgefallen, daß er trotz seiner Jugend schon ein bißchen weichlich war. An und für sich ein gutaussehender, großer Mann, mit schwarzen Haaren und einer blassen Haut wie der reinste Stummfilmschauspieler. Wie der Bischof ihn vor ein paar Jahren zuerst als Präfekt ins Marianum versetzt hat, sogar Gerede, es wäre wegen der Betschwestern in der alten Pfarre.

Weil die haben sich damals um den frisch geweihten Pfarrer gedrängt, das glaubst du nicht. Da hätte man glauben können, es ist gar kein Altar, sondern Adria-strand, und es ist gar kein Priester, sondern Animateur im Holidayclub, und es ist gar nicht immer nur der Leib Christi, der hier angebetet wird, sondern Leib des Stell-vertreters auch ein bißchen mit von der Partie.

Aber wie gesagt, Jahre her, und inzwischen war er der jüngste Regens in der Geschichte des Marianums. Un-glaublich, wie sich dieser Mann entwickelt hat. Seine ein-zige Schwäche war vielleicht, daß sich sein Appetit ge-nauso unglaublich entwickelt hat. Mit der Fastenzeit hat er zwar sein Gewicht immer wieder unter Kontrolle ge-bracht, und mit dem hat man sich stundenlang über die neueste *Brigitte*-Diät unterhalten können, aber das Wei-che ist er nicht mehr losgeworden.

Er hat einfach zwischendurch zuviel gesündigt, einmal mit der Schokolade gesündigt, dann wieder mit dem Eis gesündigt, und heute zum Beispiel schon wieder mit dem Bier und dem Salzgebäck schwer gesündigt. Weil so schnell, wie der Hochwürden das Bier hinuntergezischt hat, schaust du gar nicht.

«Das Salzgebäck macht durstig», hat er genickt, als müßte er sich selber recht geben, und hat allen nach-geschenkt. Aber ich glaube, es war nicht nur das Salz-gebäck. Es war auch ein bißchen das unangenehme Thema, das ihm auf der Zunge gebrannt hat. Er hat dem Brenner endlich sagen müssen, wozu er ihn herbestellt hat. Aber vorher noch einmal das Bierglas ansetzen, un-glaublich, was der weggeschluckt hat.

Langsam ist er dann aber doch damit herausgerückt,

was er sich vom Brenner erwartet hat. Aber er hat mit der Erklärung bei Adam und Eva anfangen müssen, weil der Brenner ja nicht einmal gewußt hat, daß eine neue Bischofsernennung bevorsteht.

«Wir sind natürlich sehr stolz», hat er betont, «daß der päpstliche Wunschkandidat jemand ist, der aus unserem Haus hervorgegangen ist.»

«Sehr stolz», hat der alte Präfekt mit der Hasenscharte genickt. Ich weiß auch nicht wieso, aber jetzt hat er das «t» auf einmal wieder gekonnt, vielleicht eine Lockerung durch den Biergenuß.

«Obwohl man bei aller Bescheidenheit auch sagen muß», hat der Sportpräfekt Fitz eingeworfen und sich dabei wirklich ein bißchen zusammengekrümmt, sprich Bescheidenheit. Und vor lauter Bescheidenheit hat er zu sagen vergessen, was man bei aller Bescheidenheit sagen muß.

«Ja natürlich», hat der junge Regens genickt, weil der hat genau gewußt, was sein Kollege sagen will, praktisch blindes Verstehen. Und der Brenner hat es dann im Lauf des Abends auch irgendwie mitgekriegt. Gar so stolz hat man nicht sein müssen, weil seit Generationen, wenn nicht seit Jahrhunderten sind alle Bischöfe mehr oder weniger aus dem Marianum hervorgegangen, dazu noch auf der weltlichen Seite alles vom Bürgermeister bis zum Landeshauptmann und zurück.

Und dann natürlich noch die andere Sache mit dem Stolz. Oder sagen wir einmal so. Die andere Sache, wo man nicht gar so stolz sein hat können.

«Die Gerüche!» hat der alte Hasenscharpräfekt mit erhobenem Zeigefinger gesagt.

Und ich glaube, das war der eigentliche Grund, warum sich der Brenner dann in den nächsten beiden Tagen so mit den Gerüchen im Internat beschäftigt hat. Weil der alte Präfekt muß auch schon ein bißchen das Bier gespürt haben, daß er wie der reinste Hypnotiseur immer wieder mit seiner eindringlichen Polypenstimme gesagt hat: «Die Gerüche!»

Der Präfekt Fitz hat die leere Kiste hinausgetragen, aber nicht wegen der Gerüche. Weil ob du es glaubst oder nicht, er ist mit einem richtigen kleinen Bierfaß zurückgekommen. Und da haben sie im Marianum schon eine gepflegte Kultur gehabt. Die haben das Faßbier nicht aus denselben Gläsern getrunken wie das Flaschenbier. Sondern der Sportpräfekt hat jetzt noch vier Steinkrüge gebracht, graue Literkrüge mit dem Wappen des Kapuzinerklosters drauf. Das dürfte einmal ein Gastgeschenk von einem Kapuzinerabt gewesen sein, weil im Marianum natürlich nur Weltpriester mit schwarzen Anzügen, keine Klosterbrüder mit Kutten.

Wie die Krüge voll waren, haben die vier Männer angestoßen, daß es gescheppert hat, und der Brenner hat gefragt: «Was für Gerüche?»

Der Regens und der Sportpräfekt Fitz haben ihn so entgeistert angeschaut, daß der Brenner für einen Moment geglaubt hat, ihm ist in seinem Dusel jetzt doch noch die Bemerkung über die Familienpackung herausgerutscht. Vor Verlegenheit hat er schnell den Maßkrug angesetzt. Aber der Präfekt Fitz hat ihm so blöd eingeschenkt, daß der halbe Krug voll Schaum war, und wie der Brenner sich den Schaum von den Augen gewischt hat, ist sein Blick wieder auf die Inschrift über dem Kopf vom Regens gefallen, auf das goldene Kreuz mitten in dem Wort Silentium.

Und dann natürlich Schuppen von den Augen, weil das auffällige «t» praktisch Fingerzeig Gottes.

«Was für Gerüchte?» hat er in genau demselben Tonfall gefragt, so als hätte er es auch vorher schon richtig gesagt.

«Gerüchte», hat der Sportpräfekt Fitz gesagt. Er hat schon einen ziemlichen Zungenschlag gehabt, aber das «t» tadellos. «Nur Gerüchte!» Es war nicht zu übersehen, daß er am wenigsten von den drei Erziehern vertragen hat. Möglicherweise, daß man mit der Priesterweihe auch gegen den Alkoholteufel ein bißchen im Vorteil ist, weil der junge Regens ist immer noch genauso steif dagesessen wie am Anfang, und beim Hasenschartenpräfekt hat man höchstens sagen können, daß das «t» gekommen und gegangen ist, wie es ihm gepaßt hat, aber sonst nicht das geringste Anzeichen.

«Was für Gerüchte?» hat der Brenner wieder gefragt. Normalerweise ist das gar nicht so seine Stärke gewesen, daß er die präzisen Fragen so direkt gestellt hat, sondern er hat sich gern ein bißchen im Nebensächlichen verzettelt. Und ich vermute, daß ihm jetzt der Alkohol beim Fragenstellen geholfen hat. Weil Alkohol überhaupt oft sehr hilfreich, wenn du heute eine Situation hast, wo du ein und dieselbe Sache möglichst oft stur wiederholen sollst.

Der Präfekt mit der Hasenscharte hat aber nicht geantwortet. Und der Sportpräfekt Fitz ist auch nur stumm dagesessen und hat mit dem linken Bein gezittert wie eine Nähmaschine oder wie ein Mann, der eingeengt sitzt.

16

Und der Regens hat auch nichts gesagt. Dem Brenner ist es so vorgekommen, als würde er mit der Wand reden. Weil die Wand hat wenigstens etwas gesagt, aber auch immer nur sturheil: «Silentium!»

Aber wie dem Brenner dann die Gerüchte endlich bekannt waren, hat er es auch irgendwie verstehen können, daß die Herren bis in die Früh hinein saufen haben müssen, bis sie endlich mit den letzten Details herausgerückt sind. Um vier Uhr hat er dann endgültig alles gewußt. Er hat den Bischofskandidaten Schorn gewußt, er hat gewußt, daß der Monsignore Schorn vor dreißig Jahren Spiritual im Marianum war, und er hat sogar gewußt, was ein Spiritual ist.

Paß auf, so schwer ist das gar nicht zu begreifen: Regens Chef, Präfekt Erziehung, Spiritual Seelenheil. Weil ein Präfekt hat auch oft einmal streng sein müssen, und da hat man ganz richtig gesagt, ist eigentlich für die seelische Entwicklung nicht ideal, wenn der Zögling bei seinem eigenen Präfekt zum Beispiel beichten gehen muß, praktisch Vertrauensbasis. Dafür hat man den Spiritual gehabt, der hat gemacht Musikmeditation, Lichtbildmeditation, Zimmerbeichte, diese Dinge.

Zum Spiritual hätte ein Bub theoretisch hingehen können und sich über den Präfekt beschweren, und der Spiritual hätte ihn nicht gestraft, sondern nur Verständnis. Besonders für die Kleinsten ist das natürlich eine sehr wichtige Ansprechperson gewesen, weil die Präfekten oft schon sehr streng, ich möchte nicht sagen Psychoterror, wie man es vielleicht bei den Sekten hat, aber streng. Sehr streng sogar. Und da ist der Spiritual natürlich eine Zuflucht gewesen, ganz wichtig, ja was glaubst du. Da hat es einzelne bei den Zehnjährigen gegeben, die sind jeden Abend zum Spiritual gelaufen, die haben sich schon Sünden ausgedacht, nur damit sie einen Grund für eine Zimmerbeichte haben, oder sagen wir, Lichtbildmeditation mit Kuschelmusik oder ein bißchen Händchenhalten gegen den Heimwehteufel.

«Gerüche!» hat der alte Hasenschartenpräfekt immer wieder dazwischengequetscht. Aber um vier Uhr früh, wie sie schon längst beim Schnaps aus Rocca di Papa angelangt waren, hat der junge Regens es dem Brenner alles gebeichtet gehabt. Und ist ihm im Grunde genommen auch nichts anderes übriggeblieben. Weil ein ehemaliger Zögling hat Geschichten über den Monsignore Schorn aufgebracht. Ausgerechnet jetzt, wo der Papst gesagt hat, geben wir doch dem Schorn den Bischofsposten.

Der alte Präfekt hat zu bedenken gegeben, daß man auch den Spiritual verstehen muß. Er ist durch seine Aufgabe den Buben nähergekommen als die Präfekten. Und der ehemalige Zögling wahrscheinlich nur gekränkt, weil ihn der Spiritual Schorn damals einmal auf seine Hygieneprobleme hingewiesen hat. Da sind ja Kinder oft furchtbar rachsüchtig, und die merken sich so was Jahre und Jahrzehnte und verleumden dich, nur weil du vielleicht einmal gesagt hast, Wasser ist zum Waschen da.

«Schuld an allem ist der Psychiater», hat der Sportpräfekt Fitz behauptet. Weil der Exzögling ist ja nicht einmal selber auf die Idee gekommen mit seinen Geschichten. Sondern Eheprobleme, und die Frau hat gesagt, schau, daß du zum Psychiater kommst. Dann natürlich Leistungsdruck, hat der auf einmal geglaubt, er muß sich da an gewisse Dinge aus dem Jahre Schnee erinnern, sprich

Hygieneunterricht in den Kellerduschen mit dem Spiritual Schorn.

Heute hat ja schon jede Klasse im Marianum ihre eigenen Duschräume in den einzelnen Stockwerken, aber damals nur die vierzig Duschkabinen ganz hinten im Internatskeller, und da hat der Spiritual eben einmal zu diesem Schüler sagen müssen, weißt du was, du bist ein ganz lieber Kerl, hübsche blonde Locken und alles, aber leider Hygieneprobleme!

Aber der Spiritual immer sehr einfühlsam, der hat das so gemacht, daß es niemand sonst mitgekriegt hat, weil natürlich peinlich bis dorthinaus für einen zehnjährigen Buben, da bist du sofort das Gespött der Klasse, frage nicht. Jetzt hat der Spiritual gesagt, am nächsten Sonntag, wenn alle anderen in der Messe sind, gehe ich mit dir zu den Duschen hinunter und zeige dir, wie man sich richtig wäscht.

So etwas ist einfach immer heikel, und da hat der Präfekt mit der Hasenscharte schon recht gehabt, daß irgendwer den Buben auch solche Dinge erklären muß.

«Wie soll man da nach achtundzwanzig Jahren noch feststellen, wie es genau war», hat er immer wieder gesagt. «Wenn man bedenkt, daß sich nicht einmal der betreffende Mensch selber genau erinnert.»

Weil es hat sich dann herausgestellt, daß der betreffende Mensch sich erst nach und nach bei seinem Psychiater an immer mehr erinnert hat.

«Die Psychiater sind ja auch nur Geschäftemacher», hat der Sportpräfekt Fitz sich wieder zu Wort gemeldet, «die verderben sich doch ihr Geschäft nicht, indem sie zulassen, daß ihr Patient sich an alles auf einmal erinnert.

Sondern der muß jahrelang kommen und darf sich nur scheibchenweise erinnern. Die machen das genauso wie die Zahnärzte, die dir acht Termine für eine Plombe geben. Oder dieser russische Stabhochspringer.»

Weil da hat es einmal einen russischen Stabhochspringer gegeben, der hat seinen Weltrekord immer nur um einen einzigen Zentimeter verbessert, obwohl er im Training schon zehn Zentimeter höher gesprungen ist, nur damit er die Millionenprämie jedes einzelne Mal wieder bekommt.

Das war aber jetzt schon gegen Ende, wo die Unterhaltung im Regens-Büro dann ein bißchen ausgeufert ist. Wie es schon langsam hell geworden ist, hat der Brenner sich auf den Weg gemacht. An und für sich kein langer Heimweg in den dritten Stock hinauf, aber aus irgendeinem blöden Grund hat er das Stiegengeländer mehrmals nach dem Weg fragen müssen. Und aus irgendeinem blöden Grund hat er unterwegs die ganze Zeit an diesen Hochspringer denken müssen, für den das Hochgehen sogar ohne Stiege kein Problem war.

Und aus irgendeinem Grund ist ihm vorgekommen, daß das ganze nachtschlafene Marianum nach Bier stinkt. Du mußt wissen, der Brenner war aus Puntigam, wo das Bier herkommt, Puntigamer. Der hat natürlich sein Leben lang nicht vergessen können, wie das ist, wenn bei fallendem Luftdruck ganz Puntigam nach Bier stinkt. Und genau diesen Geruch hat er auf dem Heimweg in den dritten Stock in der Nase gehabt.

In seinem Hilfspräfektenbett hat er noch ein bißchen über die drei Herren nachgedacht, den jungen Regens mit dem weichen Gesicht, den Präfekt mit dem grauen

Bart über der Hasenscharte und den Sportpräfekt, der die ganze Zeit mit seinem nervösen Nähmaschinenknie geklimpert hat. Oder im Grunde war es nicht sein Knie, das so gescheppert hat, sondern der Schlüsselbund in seiner Hosentasche. Weil als Präfekt hast du natürlich Schlüssel für alles, Klassenzimmer, Studierzimmer, Kellertüren, Dachkirche, Küche, Privatwohnung, Auto und, und, und, das ergibt einen Schlüsselbund, Gefängniswärter nichts dagegen.

Dieses sanfte Klingeln hat der Brenner noch im Schlaf gehört. Oder sagen wir einmal so. Die Internatsklingel ist auf einmal losgegangen wie eine Granate. Weil jeden Morgen erbarmungslos um sechs Uhr früh Motto: Du sollst dem Herrgott nicht den Tag stehlen. Der Brenner ist zwar sofort wieder eingeschlafen, aber um zwanzig nach sechs wieder die Klingel, weil Frühstudium, zwanzig vor sieben wieder die Klingel, weil Messe, und um Viertel nach sieben wieder die Klingel, weil Frühstück. Da hat er endgültig nicht mehr einschlafen können. Aber zum Aufstehen war er auch viel zu fertig.

«Gerüche», hat der Brenner gedacht, wie der Geruch der warmen Frühstücksmilch in sein Zimmer gesickert ist. Und im nächsten Moment hat er alles wieder gewußt. Seine Erinnerung hat nicht scheibchenweise eingesetzt, sondern auf einen Schlag.

Auf einen Schlag hat der Brenner sich in seinem Hilfspräfektenbett erinnert, woran der ehemalige Zögling sich auf der Psychiatercouch erst nach und nach erinnert hat. Wie er einmal statt in die Sonntagsmesse ganz allein mit dem Spiritual in den Keller hinuntergegangen ist.

Der Brenner hat sich jetzt auf einen Schlag erinnert,

daß der sich erst ein weiteres Jahr später daran erinnert hat, wie er sich als zehnjähriges Kind im Keller unten ausgezogen hat.

Und erst ein weiteres Jahr später ist ihm eingefallen, daß der Spiritual gesagt hat, er darf seine Unterhose ausnahmsweise im Umkleideraum ausziehen, obwohl sonst Unterhoseausziehen nur in der Duschkabine erlaubt.

Und ein Jahr später hat er sich erst erinnert, daß sich auch der Spiritual für den Hygieneunterricht ein bißchen ausgezogen hat.

Und erst vor zwei Monaten hat er sich an das Wort erinnert, das er zum Spiritual dann gesagt hat. Weil zuerst vollkommenes Silentium, wie der Spiritual seinen schwarzen Priesterpullover mit dem silbernen Ansteckkreuz ausgezogen hat. Und wie er sein weißes Priesterhemd aufgeknöpft hat, unter dem ganz viele schwarze Priesterbrusthaare zum Vorschein gekommen sind, immer noch vollkommenes Silentium. Und wie er sein weißes Priesterunterhemd und seine schwarzen Priesterschuhe und seine schwarze Priesterhose ausgezogen hat, ist er in Socken und Unterhose und vollkommenem Duschkeller-Silentium neben dem nackten Kind gestanden.

«Ahoi!» hat der zehnjährige Bub auf einmal aus voller Kehle gerufen wie in den Piratenfilmen im Fernsehen. Achtundzwanzig Jahre hat er gebraucht, um sich an dieses unschuldige Wort zu erinnern, das er so laut wie möglich in den Himmel aus Duschhähnen hinaufgeschmettert hat. «Ahoi!»

Weil sonst hat der Priester immer nur Brot in Fleisch und Wein in Blut verwandelt, aber jetzt hat sich die enge

Priesterunterhose in ein Segelschiff verwandelt! In eine prächtige Millionärsyacht mit aufgeblähten Segeln, praktisch Atlantik-Überquerung.

Und der Spiritual hat das Wasser der vierzig Duschen aufgedreht, bis der Fliesenboden vollkommen überflutet war, und ist mit seinem prächtigen Unterhosenschiff durch die Gänge zwischen den vierzig Duschkabinen gesegelt, und das kleine Hygieneschweinchen auf seinem Schoß erster Matrose.

Du siehst schon, da ist die Erinnerung ein bißchen im Nebel verlorengegangen.

Darum hat der Regens gesagt, wir müssen rechtzeitig vor der Bischofsernennung klären, was da genau dahintersteckt. Und der Präfekt mit der Hasenscharte hat gesagt, wer weiß, an was alles der sich mit der Zeit noch erinnert. Und der Sportpräfekt hat gesagt, wenn man einmal anfängt, hört es meistens nie auf, der russische Hochspringer hat die Latte immer wieder um einen Zentimeter höher gelegt, der hat zig Millionen kassiert, aber gegen das Vermögen, das du einem Psychiater für ein paar Erinnerungen hinlegst, ist der Firma Adidas ihr Hochspringer noch billig gekommen.

Eine Dusche würde mir jedenfalls auch nichts schaden, hat der Brenner sich jetzt in seinem Hilfspräfektenzimmer gedacht. Und dann herrliche Entdeckung. Das Warmwasser war richtig kochend heiß und unendlich. Jetzt hat er so lange geduscht, daß ich sagen muß, wahrscheinlich auch ein kleiner Weltrekord. Weil langes Duschen für den Brenner oft Lösung vieler Probleme. Aber im Fall vom Bischofskandidaten Monsignore Schorn Duschen natürlich Anfang aller Probleme.

2

Jetzt alter Spruch, was man nicht im Kopf hat, muß man in den Beinen haben. Und ob du es glaubst oder nicht, der Brenner ist wirklich in den nächsten Tagen im Kreis gegangen, mit den Beinen, nicht mit den Gedanken.

Weil im Marianumspark haben sie eine wunderbare Runde für den Geländelauf gehabt, und da haben die Präfekten nach dem Essen immer ihren Verdauungsspaziergang gemacht, quasi Ritual. Viel hat der Brenner dabei nicht herausgefunden, weil nach dem Essen Mensch immer träge. Aber immerhin hat er jetzt schon gewußt, daß der Exzögling, der mit den Gerüchten dahergekommen ist, Restaurator im erzbischöflichen Archiv war.

Mit dem Namen haben sie zuerst nicht und nicht herausrücken wollen. Ist natürlich vollkommen richtig, daß man so etwas diskret behandeln muß, aber andererseits: Wie haben sich das die geistlichen Herren vorgestellt, man kann doch nicht einen Detektiv anstellen und ihm dann den Namen nicht verraten.

Der Sportpräfekt hat dann endlich eine Andeutung gemacht: «Mit Vornamen heißt er wie der berühmteste Sohn unserer Stadt.» Eigentlich war das schon mehr als eine Andeutung. Weil da haben sie einmal ein berühmtes Wunderkind gehabt in Salzburg, das hat sehr viel mit der Musik gemacht, Oper, Symphonie und, und, und, jetzt hat der Brenner den Namen natürlich sofort erraten.

«Nein», hat der Sportpräfekt gelacht, «nicht Wolfgang.

Der hat ja noch einen zweiten Vornamen gehabt. Einen lateinischen.»

«Der Schüler hat einen lateinischen Vornamen gehabt?»

«Nein, aber denselben Namen auf deutsch.»

Jetzt, bevor du lange überlegst, Gottlieb hat er geheißen. Keine Hexerei, und der Brenner hat es dann auch erraten. Und weil er schon dabei war, hat er dem Sportpräfekt Fitz auch noch den Namen des Psychiaters herausgekitzelt, bei dem der Gottlieb immer seine scheibchenweisen Erinnerungsweltrekorde aufgestellt hat. Der Dr. Prader hat samt Frau und vier Kindern in einer Villa auf dem Mönchsberg gelebt, praktisch beste Adresse, weil mitten in der Stadt und doch auf dem Berg. Und interessant, der Dr. Prader ebenfalls Exzögling des Marianums, Klassenkamerad von seinem Patienten, sprich beide achtunddreißig Jahre alt.

Mit dem Dr. Prader könnte ich ja einmal reden, hat sich der Brenner gedacht, besser, als immer nur im Kreis gehen. Aber das hat er sich leichter vorgestellt, als es war. Weil auf dem Weg zum Dr. Prader hat er zuerst einmal die Touristenschwärme in der Altstadt durchpflügen müssen. Passiert ist ihm nichts, der Brenner sowieso sehr robust, aber auf die Art ist er bestimmt bei zehntausend Japanern ins Fotoalbum hineingekommen.

Und ob du es glaubst oder nicht. Mit dem Dr. Prader ist er dann erst recht wieder im Kreis gegangen. Weil wenn du schon so wunderbar auf dem Mönchsberg wohnst, hast du natürlich deinen täglichen Spaziergang, schön durch Wald und Wiese, von oben zwitschern die Vögel, und von unten hörst du den Probengesang aus dem Festspielhaus, das da direkt in den Mönchsberg-Felsen hineingebaut ist, praktisch Bibel: Immer auf Fels bauen, nur nicht auf Sand.

Wie der Brenner beim Dr. Prader aufgetaucht ist, hat der ihn sofort auf seine tägliche Runde mitgenommen. Aber auf dem Mönchsberg natürlich schon ganz ein anderes Spazierengehen als im Marianum mit den hohen Drahtzäunen rund um den Park. Also nicht elektrisch geladene Zäune, das wäre Argentinien, Chile, wo es oft recht politisch hergeht, sondern Marianumzäune nur hoch, eventuell ein bißchen Stacheldrahtgemisch. Aber interessant, ein Drahtzaun kann noch so durchsichtig sein, er beengt den Blick ein bißchen.

Dagegen Blick vom Mönchsberg einfach gewaltig. Das ist eine malerische Sache, Postkarte nichts dagegen. Mitten in der Stadt die zwei Berge, du stehst am Mönchsberg, von drüben schaut der Kapuzinerberg herüber, und im Tal dazwischen tausend Kirchen und Klöster aufgefädelt am grün blitzenden Salzachfluß, das mußt du dir vorstellen wie ein funkelndes Edelsteinkollier zwischen den prächtigen Brüsten einer Oktoberfest-Kellnerin, praktisch Vollendung der Natur.

Da hat sogar schon in früheren Jahrhunderten ein gewisser Reiseschriftsteller gesagt, schönste Stadt der Welt. Und der ist weit herumgekommen, das war so, wie es heute im Fernsehen die Naturfilme gibt, und damals natürlich noch kein Fernsehen, aber auch schon Leute, die herumgefahren sind und den anderen erzählt haben, wo es am schönsten ist. Und wie der damals nach Salzburg gekommen ist, natürlich sofort hinauf auf den Mönchsberg, und dann der Blick auf die Kirchtürme hinunter, und in das Land hinein, und in die Welt hinaus, da ist ihm natürlich die Kinnlade hinuntergefallen, frage nicht.

Er hat es sogar schriftlich gemacht: schönste Stadt der Welt! Jetzt, wie die Stadtväter das gelesen haben, haben sie natürlich sofort gesagt, wißt ihr was, gute Werbung, da benennen wir die Stelle, wo der am Mönchsberg gestanden ist, sofort Humboldt-Terrasse. Ja, siehst du, Humboldt, so hat der Bursche geheißen.

Und Humboldt-Terrasse eben die Stelle, wo der Dr. Prader endlich einmal stehengeblieben ist. Der war drahtig wie ein Langläufer, fast ein bißchen das Gegenteil vom weichen Regens, und man hätte ihn eher für einen Bergführer gehalten als für einen Psychiater. Da ist der um zehn Jahre ältere Brenner beim Hügelspazieren neben dem Salzburger Nurmi natürlich ein bißchen ins Schwitzen gekommen.

«Schön haben Sie es hier», hat der Brenner geschnauft und sich über die Absperrung gebeugt, wo es fast hundert Meter senkrecht hinuntergegangen ist.

«Die Terrasse ist sehr beliebt –»

«Das kann ich verstehen.»

«– bei Selbstmördern.»

Weil natürlich Ironie des Schicksals, daß sich die Selbstmörder immer die schönsten Abgründe aussuchen. Das ist genau wie mit dem Eiffelturm, wo die Franzosen oft ein paar hundert Kilometer reisen, nur damit sie sich hinunterstürzen können. Belgier, Holländer, Deutsche auch Eiffelturm. Aber bei den Deutschen teilt es sich schon, und sagen viele, Humboldt-Terrasse bietet mir mehr Qualität, und die Sprache kann ich auch.

«Einen labilen Menschen darf man hier nicht heraufführen», hat der Brenner gesagt, quasi Verständnis.

Der Dr. Prader hat nachdenklich genickt. Das war einer von den Menschen, die eigentlich heute fast schon ausgestorben sind. Weil sieht man nur noch ganz selten: einen Menschen, der kein Theater macht.

«Von wem haben Sie erfahren, daß ich es war, dem der Gottlieb seine Erinnerungen erzählt hat?»

«Vom Sportpräfekt Fitz.» Und jetzt, bevor der Detektiv und der Seelendetektiv so einfach zur Sache gekommen sind, zuerst doch noch eine kleine vertrauensbildende Maßnahme. «Der Präfekt Fitz hält ja große Stücke auf Sie», hat der Brenner angefangen. «Wie Sie Ihre vier Kinder managen und sich nebenbei noch seit Jahren um Ihren Schulfreund kümmern. Und ehrenamtlicher Bewährungshelfer sind Sie auch noch.»

«So gesprächig war der Wiedehopf?»

«Wiedehopf», hat der Brenner gegrinst, weil besser hätte man den Sportpräfekt mit der Drahtfrisur wirklich nicht beschreiben können. Und natürlich beste vertrauensbildende Maßnahme, die es auf dieser Welt gibt: über einen Abwesenden schlecht reden.

«Und hat er Ihnen auch von seinem eigenen Familienleben erzählt?»

«Ist das so aufregend?» Da hat der Brenner sich ein bißchen dümmer gestellt, als er war. Weil daß der Präfekt Fitz gern Priester geworden wäre und nicht ganz freiwillig geheiratet hat, haben im Marianum schon ein bißchen die Spatzen von den Dächern gezwitschert.

Paß auf, daß der nicht geweiht war, ist nur auf ein tragisches Unglück zurückgegangen. Der Präfekt Fitz war ja früher der eifrigste Priester-Student. Aber furchtbare Ironie des Schicksals, ausgerechnet sein Fleiß hat ihn aus der Bahn geworfen. Weil vor lauter Studieneifer hat er es einmal übersehen und eine ganze Woche keinen Sport gemacht.

Und natürlich, der Teufel schläft nicht, und da hat es immer diese scheinheiligen Studentinnen gegeben, die ausgerechnet in der Priesterhauskirche ihren Gottesdienst feiern haben müssen. Schon eine gewisse Bosheit, weil in Salzburg gibt es genug Kirchen, und da verstehe ich nicht, warum so ein blondes Geschöpf ausgerechnet in die Priesterhauskirche gehen muß. Kunstgeschichte-Studentin, und angeblich wegen der Barockkirche, quasi Fischer von Erlach, diese Dinge. Das hat sie zumindest immer behauptet, wie der Priesterseminarist Fitz ihr dann nachträglich die Vorwürfe gemacht hat. Aber so ein Pech mußt du einmal haben, ein einziges Mal Berührung mit ding, und sofort schwanger und aus der Traum! Zuerst hat er noch alles abgestritten, aber dann natürlich aus der Traum, weil der Priesterhausleiter hat gesagt: Du mußt sie heiraten.

So hat der Brenner die Geschichte schon gekannt. Aber für einen Detektiv natürlich immer interessant, wenn er die gleiche Geschichte von zwei Seiten hört, praktisch Widersprüche. Darum hat er sich alles vom Dr. Prader noch einmal erzählen lassen.

Aber in dem Fall überhaupt keine Widersprüche, weil der Dr. Prader genau gleiche Version, sprich kunsthistorisches Interesse gewisser Studentinnen an der Priesterhauskirche, dann die Hormone, rampampam und aus der Traum vom Priesterleben.

«Vielleicht übertreibt er es deshalb so mit der Frauen-verehrung», hat der Brenner überlegt. Weil er hat den Präfekt Fitz einmal blöd gefragt, warum ein Knaben-internat ausgerechnet Marianum heißt, praktisch, ob das nicht besser zu einer Mädchenschule passen würde.

«Und was hat er gesagt?» hat der Dr. Prader gegrinst.

Der Brenner hat mit den Schultern gezuckt: «Er hat einen Mordsvortrag über die Jungfrau gehalten. Gar so genau hab ich ihm nicht zugehört, aber ‹Würde der Frau› ist mehrmals vorgekommen.»

«Das sollte er einmal seiner Frau erzählen», hat der Dr. Prader fast so humorlos reagiert wie der Sportpräfekt selber.

Sie waren jetzt schon auf dem Rückweg, und das muß ein kürzerer Weg gewesen sein, weil der Brenner hat sich gewundert, wie schnell sie wieder vor dem Haus vom Dr. Prader gestanden sind. Oder Haus eigentlich falsch ausgedrückt. Villa. Von dieser Seite ist es dem Brenner erst richtig aufgefallen, was für ein prächtiges Haus, sprich Villa, das eigentlich war. Der Dr. Prader ist vor seiner steinernen Gartenmauer stehengeblieben, die so hoch war, daß man nicht hineingesehen hat, aber die Baumwipfel haben einem schon einen gewissen Ein-druck von dem Gärtchen vermittelt, praktisch Paradies.

Und der Dr. Prader muß ein bißchen die Gedanken vom Brenner erraten haben: «Die Miete für das Haus können wir uns nur leisten, weil wir es den ganzen Som-mer an Festspielgäste vermieten.»

«Und wo wohnen Sie?»

«Wir ziehen mit den vier Kindern in die Besen-kammer.»

«Und die Vermieter erlauben das?» hat der Brenner gefragt. Weil nicht nur Salzburger Schönheit weltberühmt, auch Salzburger Vermieter weltberühmte Halsabschneider.

«Da haben wir Glück. Der Vermieter ist auch der Arbeitgeber meiner Frau.»

«Das Bischofsamt.» Das hat der Brenner wieder vom Präfekt Fitz gewußt.

«Deshalb ist die Miete für uns auch erschwinglich.»

«Und für Ihre Festspiel-Untermieter ist sie wahrscheinlich weniger erschwinglich.»

«Die zahlen in zwei Monaten so viel», hat der Dr. Prader gelächelt, «daß wir das ganze Jahr die Miete davon bezahlen können.»

«Das ist günstig.»

«Für uns schon. Und unsere Gäste fragen sich nicht, ob etwas günstig ist. Sie wollen einfach das beste, was am Markt ist.»

«Und ich hab immer geglaubt, auf dem Mönchsberg wohnen nur irgendwelche Münchner Warenhauskönige, die sich mit ihrem Schwarzgeld den halben Mönchsberg zusammengestohlen haben.»

Weil der Brenner war jahrelang in Salzburg stationiert, als Polizist eigene BUWOG-Wohnung gehabt, günstige Miete und alles, da hat er eigentlich nie einen Grund gehabt, sich zu beschweren. Aber von damals hat er eben noch gewußt, daß der Mönchsberg im Grunde nur von Sandlern in ihren Höhlen und Warenhauskönigen in ihren Bunkern bewohnt war.

«So kraß würde ich es vielleicht nicht ausdrücken», hat der Dr. Prader gelächelt. «Aber eine illustre Nachbarschaft haben wir hier schon.»

«Und wenn Sie aus dem Haus kommen und ein Tourist bewundert Ihr Märchenschloß, möchten Sie ihm am liebsten erklären, daß Sie keiner von diesen Mönchsberg-Münchnern sind.»

Der Brenner hat sich selber gewundert, wie er da redet, quasi verständnisvoll wie ein Spiritual. Und das, nachdem er erst ein paar Tage in seinem Hilfspräfekten-zimmer gewohnt hat. Weil im Marianum unten ist es natürlich immer sehr indirekt und vorsichtig zugegangen, alles immer sehr rücksichtsvoll, ungefähr so, wie wenn dir einer vor lauter Rücksicht die Hand so sanft gibt, daß du glaubst, du schüttelst einen toten Fisch.

Auf einmal ist sich der Brenner dem kantigen Bergführer gegenüber selber ein bißchen schleimig vorgekommen. Sprich, höchste Zeit, daß er mit dem Dr. Prader Klartext redet.

«Haben Sie gewußt, daß der Monsignore Schorn erster Kandidat für die Bischofsnachfolge ist? Deshalb soll ich herausfinden, ob die Geschichten Ihres Patienten wirklich wahr sind. Vielleicht können Sie mich dabei unterstützen.»

«Ja und nein.»

«Ich weiß, daß es wegen der ärztlichen Schweigepflicht heikel ist.»

«Nein. Ich bin kein Arzt. Der Gottlieb ist mein Freund. Ich versuche nur, einem Freund zu helfen.»

«Aber Sie haben trotzdem Zweifel, ob Sie mir helfen wollen?»

«Mein Nein gilt Ihrer ersten Frage. Ich habe nicht gewußt, daß der Monsignore Schorn als erster Bischofs-kandidat gehandelt wird.»

«Und das Ja –»

«– heißt, daß ich Ihnen gern helfe, soweit ich kann. Einer Schweigepflicht im rechtlichen Sinn unterliege ich jedenfalls nicht.»

«Eigentlich dürfte ich Ihnen das mit dem Bischofskandidaten auch nicht erzählen.»

«*Res silentii*», hat der Dr. Prader genickt, «ich weiß.»

«Das weiß jetzt wieder ich nicht, was das ist», hat der Brenner zugeben müssen.

Der Dr. Prader hat ihm dann erklärt, daß es das nicht nur bei der Kirche gibt, sondern ganz ähnlich auch im staatlichen Bereich. Wenn heute zum Beispiel ein Richter ernannt wird, dann schnüffelt die Staatspolizei auch vorher ein bißchen in seinem Privatleben herum, ob er nicht zu viele Abgründe hat, wo man sagen müßte, sein Hobby macht ihn vielleicht erpreßbar, weil Videoclub immer verdächtig, oder sagen wir Minderjährige, solche Dinge, oder meinetwegen sadistische Tendenz, wo man vielleicht sagt, als Richter überqualifiziert.

«Bei Ihrem Freund hat sich ja die Erinnerung nach jahrzehntelangem Schweigen auf einmal zu Wort gemeldet. Wie ist so was möglich?»

«Ich habe eine jahrelange Therapie mit ihm gemacht.»

«Sie sind nicht Arzt, sondern Psychologe?»

«Nein, ich bin Hausmann. Meine Frau verdient das Geld, und ich kümmere mich um unsere vier Kinder. Darum praktiziere ich nicht als Therapeut.»

«Außer bei Ihrem Freund. Glauben Sie, daß seine Behauptungen wirklich ganz wahr sind?»

Die Glocken einer Kirche haben viermal geschlagen. Und dann sechsmal.

«Das ist die Kollegienkirche», hat der Dr. Prader dem Brenner erklärt.

Dann hat eine andere Glocke viermal und eine etwas hellere sechsmal geschlagen.

«Der Dom.»

Dann haben die Priesterhausglocken geschlagen, dann die Franziskanerkirche, Sankt Peter und die Ursulinenkirche fast gleichzeitig, dann die Kajetanerkirche, dann von hinter dem Berg die Maxglaner Kirche und direkt vom Berg die Glocken vom Kloster Nonntal und wieder von unten die Blasiuskirche, dann direkt auf dem Mönchsberg die Palotinerglocken, immer schön vier Schläge für die volle Stunde und dann sechsmal. Wenn es von mehreren Türmen gleichzeitig geschlagen hat, ist man mit dem Zählen nicht ganz nachgekommen, aber natürlich überall sechs Uhr, weil die paar Zentimeter zwischen zwei Salzburger Kirchen machen noch keine neue Zeitzone aus.

«Man könnte fast auf den Gedanken kommen, daß es sechs Uhr ist», hat der Brenner gesagt, praktisch trockener Humor. Aber sofort sind ihm die Glocken von einer Nachzüglerkirche übers Maul gefahren, daß die Luft nur so gezittert hat.

«Ja und nein», hat der Dr. Prader gesagt. Aber nicht philosophischer Zweifel, ob es wirklich sechs Uhr ist, sondern Antwort auf die vorherige Frage vom Brenner, ob der Bischofskandidat Schorn wirklich, wie soll ich sagen, den Gottlieb ein bißchen gedingst hat.

«Ja, ich glaube schon, daß seine Behauptungen ganz wahr sind», hat er erklärt. «Und nein, ich glaube nicht, daß es die ganze Wahrheit ist.»

«Wie bei diesem russischen Stabhochspringer.»

«Wie bitte?»

Der Brenner hat ihn kurz mit der Geschichte vom Sportpräfekt Fitz über Therapeuten und Stabhochspringer zum Lachen gebracht. «Was ich damit sagen will», hat er in das Lachen vom Dr. Prader hineingesagt, «es braucht also noch seine Zeit, bis der Gottlieb die ganze Vergangenheit aufgearbeitet hat?»

«Ja und nein.»

Der Brenner hat überlegt, ob er wieder zwei Fragen auf einmal gestellt hat oder ob das diesmal nur das schwammige «ja und nein» war, wie er es als Marianumsstil schon zur Genüge gekannt hat.

«Die Probleme eines Menschen müssen nicht unbedingt immer in der Vergangenheit liegen.» Der Dr. Prader hat dabei auf das offene Festspielhaus-Dach unter ihnen gedeutet. Weil wunderbare Konstruktion, und die haben zum Lüften einfach das Dach der Felsenreitschule aufmachen können. «Sie wissen ja, wer der Schwiegervater vom Gottlieb ist.»

«Ja und nein», hat der Brenner gesagt, weil typisch Brenner, daß ihm das so gefallen hat, daß er es gleich nachsagen hat müssen.

Dabei hat er in dem Moment noch überhaupt keine Ahnung gehabt, daß ausgerechnet der Vizepräsident der Salzburger Festspiele der Schwiegervater vom Gottlieb war. Das hat er erst gerade jetzt im Gespräch vom Dr. Prader erfahren.

«Sie meinen, es muß nicht immer der Vater das Problem sein», hat der Brenner es auf einmal ganz genau wissen wollen, «weil so ein bedeutender Schwiegervater eventuell noch ein größeres Problem ist?»

«Ja.»

Und nein, hat der Brenner schon im stillen mitgeredet. Aber nichts da, einfach «ja» hat der Dr. Prader gesagt, und dem Brenner ist vorgekommen, als wäre durch das fehlende Nein ein richtiges Loch in die Luft gerissen worden, und momentane Wahnvorstellung, daß es ihn in dieses Luftloch hineinreißt, praktisch Horrorfilm. Und ich muß ganz ehrlich sagen, so ist es dann wirklich gewesen.

3

Bevor dann die Fetzen geflogen sind, hat der Brenner sich wenigstens noch einmal richtig ausschlafen können. Der hat am Sonntag morgen geschlafen, als hätte es keine Internatsklingel gegeben. Das Weckläuten verschlafen, das Morgengebetläuten verschlafen, das Frühstudium verschlafen und sogar um halb acht die Sonntagsmesse verschlafen.

Jetzt Geheimnis dahinter wieder nur lateinisch erklärbar: Ohropax. Weil der Brenner hat am Samstag abend noch bei der Nachtapotheke vorbeigeschaut. Und da siehst du, man entkommt dem Klingeln auf dieser Welt einfach nicht, weil bei der Nachtapotheke hat er schon wieder läuten müssen. Aber wie die Apothekerin dann bei ihrem Fensterchen aufgetaucht ist, hätte er fast seinen Wunsch vergessen, sprich Ohrenfriede. Weil Notapothekerin Augenweide, daß es ihm regelrecht die Sprache verschlagen hat.

Irgendwie muß er sich dann aber doch verständlich gemacht haben, sonst hätte er nicht in diesem wunderbaren Privatsilentium bis in den Vormittag hinein schlafen können.

Aber im Leben immer wieder interessant: Der eine schläft, der andere spielt Tischfußball. Der Tischfußballtisch ist im Keller gleich vor der abgesperrten Tür gestanden, wo es früher zu den Duschen hinüber gegangen ist. Und seinerzeit ist der Spiritual Schorn mit dem kleinen Gottlieb während der Sonntagsmesse zu den Duschen

hinunter, und jetzt war es wieder während der Sonntagsmesse, und wieder hat es sich beim Tischfußballtisch
abgespielt. Aber dieses Mal genau umgekehrt. Weil damals hat der Spiritual die Verbindungstür zum Duschtrakt aufgesperrt, aber der Fußballtisch war verwaist.
Und heute die Verbindungstür versperrt, aber am Fußballtisch Hochbetrieb.

Weil die Jugend immer Hang zum Risiko. Und Sonn-
tagsmesse-Schwänzen höchste Risikostufe im Marianum.
Einmal erwischt, und du bist aus dem Internat geflogen,
Vogerl nichts dagegen. Da hat es keine Diskussion und
kein gar nichts gegeben. Der Regens hat gesagt, es kann
nicht sein, daß jemand das Marianum besucht, das als
kleines Priesterseminar den Priesternachwuchs heranbil-
den soll, das von den Spendengeldern der Gläubigen un-
terstützt wird, und einer lebt hier und will nicht einmal
den Tag des Herrn heiligen. Weil der junge Regens immer ein bißchen schlechtes Gewissen, daß sie den ärmsten Rentnerinnen das Geld aus der Tasche gezogen
haben, sprich Spendenzahlschein, darum hat er das bei
jeder Gelegenheit erwähnt.

Jetzt natürlich große Frage, warum die beiden Tisch-
fußballer trotzdem dieses Risiko eingegangen sind. Daß
sie ein paar Tage vor Schulschluß noch aus dem Internat
fliegen und daheim hinter den sieben Bergen Berufs-
träume aus und vorbei, und statt weltberühmter Gynä-
kologe nur Bergführer-Schilehrer, der jeden Tag für eine
andere deutsche Sextouristin das Bett wärmen muß.

Warum macht ein junger Mensch so eine Dummheit,
ich werde es mein Lebtag nicht verstehen. Oder sagen
wir einmal so, bis zu einem gewissen Grad kann ich es

schon verstehen, weil Tischfußball natürlich wunderbares Spiel. Und der Unterhauser und der Franz sind in die zweite Klasse gegangen, also beide zwölf Jahre alt, und das ist natürlich ein Alter, wo im Menschen das Interesse am Tischfußball erwacht.

Nicht daß du glaubst, Vorname Franz, sondern Sebastian Franz, im Internat haben sich die Buben ja nur mit dem Nachnamen angeredet, weil Vorname vielleicht eine Spur zu mädchenhaft. Der Franz hat rote Haare gehabt, und das ist jetzt ein bißchen schwierig, er hat nicht mit den roten Männern gespielt, sondern mit den blauen. Der Unterhauser mit den roten, und Haarfarbe der Unterhauser eigentlich gar keine, weil Stoppelfrisur bis zur Unkenntlichkeit der Haarfarbe.

Der Franz hat mit den blauen Männern die Kellerstiege im Rücken gehabt. Deshalb immer das unbestimmte Gefühl im Rücken, daß womöglich gerade ein Präfekt über die Kellerstiege herabschwebt. Dagegen hat der Unterhauser immerhin gewußt, daß die Verbindungstür in seinem Rücken abgesperrt war, und wenn von oben ein Präfekt gekommen wäre, hätte er ihn sofort gesehen. Genützt hat es ihm dann im Endeffekt natürlich auch nichts.

Jetzt was ist so schön am Tischfußball, daß ein Schüler dafür ein derartiges Risiko in Kauf nimmt? Das Schöne am Tischfußball ist der Knall, wenn man die Kugel ins Tor pfeffert. Und wie jetzt der Franz die Kugel mit dem blauen Tormann in seiner linken Hand unter Kontrolle gebracht hat und dann die Tormannstange losgelassen und sich mit dem linken Ellbogen auf die Tischumrahmung hinter seinem Tormann gelehnt und mit der rechten nach der Tormannstange gegriffen und das rechte Aug zugekniffen und mit dem linken Maß genommen hat, ist auf einmal ein Zucken durch seinen blauen Tormann gegangen, daß die Kugel wie der Blitz zuerst an seinen blauen Verteidigern und dann an den roten Stürmern und dann an seinen blauen Mittelfeldspielern und dann an den roten Mittelfeldspielern und dann an seinen blauen Stürmern und dann an der russischen Abwehr der roten Unterhauser-Männchen vorbeigezogen ist und hinter dem Unterhauser-Tormann eingeschlagen hat mit einem Halleluja! Mit einem Halleluja! Mit einem dreifachen Hallelujascheppern! Daß die beiden Spieler einen Moment erstarrt sind vor Angst, diese Explosion könnte man eventuell auch noch vier Stockwerke höher bei der Sonntagsmesse in der Dachkirche gehört oder als Kniebretterbeben gespürt haben.

Kehrseite der Medaille leider der ewige Ärger mit den Bällen, die an manchen Tagen nicht mehr herausgekommen sind, wenn man ein Tor geschossen hat. Aber egal, es waren ja insgesamt drei Bälle, also immerhin noch zwei Bälle da.

Dann eins zu eins für den Unterhauser, da ist der Ball wieder schön unten herausgerollt, aber wie dann der Franz mit den blauen Männern das zwei zu eins geschossen hat, ist der Ball schon wieder steckengeblieben.

Nicht daß du glaubst, das ist am Haustischler gelegen, der den Tisch selber gebaut hat. Im Gegenteil, das war ein großartiger Tischfußballtisch, Generalservice in den Sommerferien, aber trotzdem immer bis zum letzten Schultag intakt, und das heißt etwas in einem Internat, wo die Halbwüchsigen mit ihren überschüssigen Kräften an den Stangen reißen, bis sie glühen. Nur beim einen oder andern Spieler hat der Kopf gefehlt, zwei blaue Verteidiger und ein blauer Stürmer ohne Kopf, und bei den Roten hat überhaupt die halbe Mannschaft keine Köpfe mehr gehabt.

Einem Tischfußballmännchen tut das nicht weh. Und der Franz und der Unterhauser haben in dem Moment natürlich noch keine Ahnung gehabt, daß ihnen am selben Tag auch der Schädel abgerissen wird.

Aber wie gesagt, dem Haustischler kann man überhaupt keine Schuld geben, weil alles hat er selber gemacht, nur die Männchen hat er *en gros* zugekauft, und siehst du, ausgerechnet die sind gebrochen. Aber macht nichts, weil sie haben ohne Kopf genauso gut gespielt. Der Tisch war auch gut austariert, und das Ballgefälle hinter dem Tor hat auch ganz genau gestimmt, zuerst der akustische Hochgenuß, wenn die Kugel an die Sperrholzwand donnert, fast gleichzeitig das Zurückspringen auf die vordere Torkante und einen Augenblick später das herrlich majestätische Zurückrollen, wenn der Ball sich im Inneren vom Tisch zum Ballschlitz bewegt. Diese drei Geräusche haben es ausgemacht, darum sage ich ja dreifaches Halleluja!

Angesehen hätte man es dem Haustischler ja nicht, daß er so ein Präzisionsweltmeister war. Weil ein grober Knochen und geistig fast ein bißchen ding. Überhaupt das Personal im Marianum, Putzfrauen, Küchengehilfinnen, Maler, Wäscherei, wie soll ich sagen, ein bißchen Horrorkabinett. Ich meine jetzt natürlich nicht die hübschen philippinischen Mädchen, die von den Missionaren zur Entwicklung herübergeschickt worden sind und in der Wäscherei und beim Putzen auch tüchtig mitgeholfen haben. Sondern eben das einheimische Personal, wo die Schüler gern Horrorkabinett gesagt haben. Weil da haben die Pfarrer in den schattigsten Tälern die Leute zusammengesucht, die dort unmöglich eine Arbeit gefunden hätten. Da war natürlich sehr der soziale Gedanke im Vordergrund, aber vielleicht auch ein bißchen der Spargedanke im Hintergrund. Aber nicht daß du glaubst, die waren angekettet, im Gegenteil, die haben sich frei bewegen dürfen, und oft sogar eine schöne Arbeit, wie zum Beispiel Tischfußballtisch.

Das Personal jetzt natürlich auch bei der Messe oben, da haben sie eine eigene Personalbank gehabt, aber im Keller unten ist der Franz jetzt schon zum zweiten Mal um den vollen Genuß gekommen. Weil schon wieder ist aus dem Tischbauch kein dumpfes Rollen gekommen, nachdem die Kugel mit Karacho in das Unterhauser-Tor eingeschlagen hat. Ich will den zwölfjährigen Falotten nicht als weiß Gott was für einen Ästheten hinstellen, Hauptsache war natürlich das Knallen, das Scheppern, das Rampampam, stimmt schon, und das Rollen letzten Endes nur sekundär.

Jetzt hat den Franz das ausbleibende Rollen nicht so sehr ästhetisch gestört, sondern in erster Linie praktisch. Weil natürlich, wenn der Ball nicht rollt, kommt er nicht mehr aus dem Tisch heraus. Das war jetzt schon der zweite Ball, der irgendwo im Unterhauser-Tor versumpft ist. Und nur der eine, den der Unterhauser dem Franz ins Tor geschossen hat, ist wieder herausgekommen. Deshalb war von den drei Bällen nur noch ein einziger da.

«Wenn ich jetzt noch ein Tor schieße, können wir nicht mehr weiterspielen», hat der Franz gesagt, der immer noch zwei zu eins geführt hat.

«Die Drecksau hat schon wieder einen Lappen hineingeschoben.»

Du darfst nicht vergessen, daß es nur einen einzigen Tischfußballtisch für zweihundert Schüler gegeben hat. Dadurch natürlich wilde Kämpfe, halsbrecherische Jagden über die Kellerstiege hinunter, und letzten Endes war das ja auch der Grund, warum der Franz und der Unterhauser ihr Leben im Internat riskiert und statt der Sonntagsmesse gespielt haben. Sie haben einmal im Jahr in Ruhe spielen wollen, ohne daß sie von einem Größeren verdrängt und verdroschen werden.

Aber eben nicht nur die Größeren lästig, sondern auch die Kleineren, sprich Intrige. Weil da hat ein ganz ein Schlauer aus der ersten Klasse den Trick entwickelt, daß er einen Lappen hineingeschoben hat, damit die Bälle hängenbleiben. Ohne Ball ist natürlich das schönste Tischfußball nicht lustig, und wenn dann alle aus dem Keller verschwunden sind, ist der kleine Schlaumeier hinunterspaziert, hat den Lappen samt den Bällen herausgezogen und die ganze Freizeit mit seinem Freund gespielt.

Der Unterhauser hat jetzt in sein Tor hineingegriffen und getastet, ob er den Lappen erwischt. Der Torschlitz war genau so hoch, daß man mit der Hand noch schön hineingekommen ist, aber dort hinten, wo die Bälle weggerollt sind, ist es natürlich gleich zu schmal geworden für seine Hand, das hat der klobige Tischler ganz elegant konstruiert, weil Rücklauf nur mehr Ballumfang.

«Ich erwisch ihn nicht», hat er zum Franz gesagt, und der hat es dann auch noch probiert, aber nichts da, Lappen nicht zu erwischen.

«Da hinten wird es ja total eng!» hat er erschrocken gerufen, daß man glauben hätte können, der Marianumszögling kriegt vor lauter Panik seine Hand nicht mehr aus dem schwarzen Loch heraus.

«Dann spielen wir halt so weiter», hat der Unterhauser entschieden. «Einen Ball haben wir ja noch. Jetzt darf eben nur noch ich die Tore schießen», hat er frech gelacht, weil beim Franz-Tor sind die Bälle ja problemlos herausgekommen.

Halleluja! Der Franz hat diese Provokation mit einem so brutalen Torschuß kommentiert, daß es kein Wunder gewesen wäre, wenn der Ball vor lauter Wucht die Sperrholzwand durchschlagen hätte. Aber leider, der Haustischler zu gute Arbeit, und der Ball ist weggerollt und aus.

«So, das war's dann», hat der Unterhauser sauer gesagt. Weil natürlich ist der dritte Ball unten wieder nicht herausgekommen, Totalverstopfung im Tischfußballtisch, das ist, wie wenn der Abfluß von deiner Badewanne verstopft ist, da kannst du tonnenweise Mittel hineinschütten, bis schon deine ganze Straße unter Brechdurchfall leidet vor lauter Umwelt, aber dein Abfluß hält immer noch dicht wie eine ganze Kondom-Familienpackung.

«Greif noch einmal hinein, ob du ihn erwischst.»

Etwas Besseres ist dem Franz jetzt auch nicht eingefallen, weil Messe noch mindestens eine halbe Stunde, und was sollen sie jetzt sonst machen.

44

Aber zweiter Versuch auch hoffnungslos.

«Der muß vielleicht dünne Arme haben!» hat der Unterhauser sich über den raffinierten Erstklaßler gewundert, der da den Lappen offenbar problemlos aus und ein bewegt hat.

Und jetzt der Franz Geistesblitz: «Vielleicht hat er ihn von unten hineingestopft.»

Er hat sich hinuntergebückt und seine Hand in den Ballschlitz gesteckt, wo normalerweise immer schon zwei von den netten Bällchen auf die Hand gewartet haben, während die dritte Kugel noch beim Zurückrollen war. Aber jetzt komplett leer, und er hat seine Hand hineingeschoben bis über das Handgelenk. Der Ballschlitz war zwar noch enger als das Tor, aber dafür ist es hinten nicht so schmal geworden.

«Und?»

«Nichts. *Niente*», hat der Franz gesagt, weil das hat sein Vater einmal aus dem Italienurlaub mitgebracht, und seither familienintern für nein oft *niente*, und heute besonders passend, weil er ja die blauen Männer gehabt hat, sprich Azzurro.

Aber jetzt eins zu eins bei Geistesblitzen, weil der Unterhauser hat den Tisch auf seiner Seite ein bißchen angehoben.

«Vielleicht rutscht er heraus», hat er geächzt. Der Tisch ist sauschwer gewesen, und Naturgesetz, je höher er ihn gestemmt hat, um so schwerer ist er geworden.

Jetzt auf der einen Seite der Unterhauser, der den Tisch in die Höhe stemmt, und auf der anderen Seite kniet der Franz und reckt seinen Arm fast bis zum Ellbogen in den seitlichen Ballschlitz hinein.

«Wenn du jetzt den Tisch fallen läßt, ist mein Arm ab», hat der Franz gesagt und seinen Arm noch ein bißchen weiter in den Ballschlitz hineingeschoben.

«Und? Spürst du was?»

Im Rücken hat der Franz immer noch die Kellerstiege mit der Kellertür gehabt. Aber in diesem Moment hat keiner der beiden mehr daran gedacht, daß ein Präfekt sie öffnen könnte, und sie fliegen beide in hohem Bogen bei der Kellertür und aus dem Internat hinaus. Weil wenn du heute mit einer Aufgabe betraut bist, dann verlierst du die Ängste, das ist sehr interessant.

Gib dem Menschen eine schöne Herausforderung, an der er sich die Zähne ausbeißen kann, und schon verdunstet das Depressive wie ein Schweißtropfen in der Wüste Sahara, praktisch Fata Morgana. Bestes Beispiel der Franz und der Unterhauser! Da ist es jetzt gar nicht mehr ums eigentliche Tischfußballspielen gegangen, sondern nur noch reiner Idealismus, daß sie endlich die Ballblockade beseitigen.

«Lang halte ich es nicht mehr aus», hat der Unterhauser geschnauft, und sein Kopf war fast so rot wie die Köpfe, die immerhin ein paar von seinen Männchen noch aufgehabt haben.

«Ich glaub, ich spür was», hat es die Stimmbruchstimme vom Franz überschlagen, wie er schon mit dem halben Oberarm im Ballschlitz gesteckt ist. «Kipp ihn noch ein bißchen mehr!»

«Ich kann's nicht mehr halten», hat der Unterhauser gestöhnt.

«Ich spür was!»

«Ich halt es nicht mehr aus!»

«Ich hab ihn!»

Der Franz hat seinen Arm herausgezogen, und in dem Moment, wo er ihn heraußen gehabt hat, hat der Unterhauser den Tisch aus einem halben Meter Höhe einfach auf den Boden krachen lassen. Daß beide sicher waren, oben in der Dachkirche plötzlich totale Sonnenfinsternis, weil durch das Erdbeben das flüssige Kerzenwachs literweise auf den Glas-Plafond gespritzt ist.

Aber oben hat niemand etwas gehört oder gespürt oder gesehen, das war nicht das Problem.

«Grüß Gott», hat der Franz überrascht gesagt.

Das war das Problem. Der Franz war ein gesunder Bauernbub wie aus dem Bilderbuch, das war ja der kirchlichen Führung so wichtig, daß sie das frische Landblut für ihren Nachwuchs kriegen, wo das Stadtgift in der Erbmasse seit Adam und Eva noch nichts verbrochen hat. Und der Franz nervliches Paradebeispiel. Den hat nichts aus der Fassung bringen können. Seine Augen vielleicht jetzt schon ein bißchen bunter als normal, aber sonst absolut gefaßt. Und er hat noch ein zweites Mal schön gegrüßt.

«Grüß Gott!»

Vielleicht ist seine Ruhe auch nicht so sehr von der ländlichen Abstammung gekommen, da soll man nicht zuviel hineingeheimnissen. Vielleicht war es doch schon mehr der Schock. Der Franz hat jetzt auch ein bißchen komisch gelacht, was sonst nicht so seine Art war, die ganze Familie mehr auf der sturen Seite, weil wieder Gene: Ein Bauer lacht nicht, und bei einem guten Bauern hat auch der Knecht nichts zu lachen. Jetzt warum beim Franz dieses verdächtige Lachen?

Sagen wir einmal so. Er hat keinen Lappen in der Hand gehabt, er hat eine Hand in der Hand gehabt. Angefühlt hat sie sich natürlich schon ein bißchen wie ein Lappen. Das mußt du dir vorstellen wie einen Handschuh, nur ohne Handschuh und dafür mit Hand. Und diese Hand war es, die der Franz so höflich geschüttelt und gegrüßt hat.

«Grüß Gott!» hat der Franz noch einmal zu der Hand gesagt und ist mit der Hand in der Hand die Kellerstiege hinauf. In den ersten Stock hinauf, in den zweiten Stock hinauf, immer schön freundlich die Hand geschüttelt, in den dritten Stock hinauf, und wie sich schließlich im Dachboden die automatische Kirchentür vor ihm geöffnet hat, ist ihm der Gesang seiner Mitschüler entgegengeschwappt:

Maria, wir dich grüßen,
o Maria hilf!
Und fallen dir zu Füßen,
o Maria hilf!
O Maria hilf uns all
hier in diesem Jammertal.

Er ist in die vollbesetzte Dachkirche hineingestolpert, und die zweihundert singenden Köpfe haben sich überrascht nach ihm umgedreht.

«Grüß Gott!»

Gesang natürlich sofort verstummt. Weil beim Anblick der abgehackten Hand in der Franz-Hand ist ein Silentium ausgebrochen, wie sie es im Marianum nicht einmal bei den dreitägigen Exerzitien zum Fest der Unbefleckten Empfängnis zusammengebracht haben, praktisch Totalsilentium. Ich muß sagen, es war der letzte

Auftritt vom Franz im Marianum, weil er und der Unterhauser noch am selben Tag etwas ganz anderes in der Hand, und zwar das Entlassungszeugnis. Aber doch ein Abgang, um den ihn ein paar von seinen Kollegen fast ein bißchen beneidet haben.

Da hätte man glauben können, der Franz ist an den Verstärker für die rhythmischen Beatmessen angeschlossen, so laut hat man ihn zum Altar schlurfen und immer wieder murmeln gehört: «Grüß Gott!»

Und dann natürlich wie auf Kommando die ganze Gemeinde Nähmaschine. Du darfst nicht vergessen, daß alle gestanden sind, weil einmal knien, einmal sitzen, einmal stehen, so ist das eben in der Kirche, und Singen natürlich immer Stehpartie. Da haben jetzt wie auf Kommando alle die Nähmaschine in den Knien bekommen, sprich gemeinschaftlicher Zitteranfall, daß es in der Kirche nur so gerumpelt hat. Und mit dem Rumpeln hat sich dann das hysterische Geschrei erhoben, frage nicht.

Zuerst ganz vorne das hohe Geschrei von den Erstklaßler-Bänken, dann gleich dahinter alle Oberstimmen Geschrei, dann sofort in den mittleren Bänken das erbärmliche Stimmbruchgeschrei, und jetzt auch hinten bei den Unterstimmen Geschrei, da ist die Welle durch die Bänke gewandert wie die Kugel bei einer perfekten Tischfußballgranate, an Freund und Feind vorbei, und jetzt ist das Geschrei schon durch die Präfektenbank gegangen und hat ganz hinten in der Personalbank eingeschlagen wie ein Blitz in eine überfüllte Tierfabrik.

Und ob du es glaubst oder nicht, der Geistliche, der die Messe zelebriert hat, hat die ganze Zeit über in sein Mikrofon gebrüllt: «O Go! Go! Go!»

Aber nicht daß du glaubst Beatmesse oder Negerspiritual. Sondern in der Aufregung hat der Hasenschartenpräfekt wieder einmal das «t» nicht gefunden.

In diesem Moment hat es überhaupt nur einen einzigen Menschen im Marianum gegeben, der vollkommene Ruhe bewahrt hat. Weil Ohrenfriede einfach nicht zu erschüttern. Und der Brenner ist immer noch im Hilfspräfektenzimmer gelegen und hat geschlafen, junger Gott nichts dagegen.

4

Daß der Mörder immer wieder an den Ort des Verbrechens zurückkehrt, das ist eine alte Regel, ich glaube, die kennt jeder Mensch von Kindesbeinen an. Ist natürlich ein Blödsinn wie die meisten Regeln, die jeder Mensch kennt. Weil wenn du heute als Mörder halbwegs bei Trost bist, kehrst du überall hin zurück, vielleicht an den Ort deiner Kindheit, wo du für deine liebe Mutter Schneeglöckchen gepflückt hast, oder zu dem Volksschulhaus, wo du das kleine Einmaleins gelernt hast, oder zu der Parkbank deiner ersten Liebe, da kehrt jeder gern zurück, ob Mörder oder nicht Mörder, weil manchmal braucht der Mörder genau wie der Nichtmörder ein bißchen die Gefühlswärme. Aber so sentimental ist kein Mörder, daß er an den Ort des Verbrechens zurückkehrt.

Sentimental sogar eher das Opfer! Daß man sagen muß: Siehst du, da ist einmal das Opfer an den Ort zurückgekehrt.

Jetzt ist der erzbischöfliche Restaurator Gottlieb Meller achtundzwanzig Jahre nach seinem Hygieneunterricht keine fünfzig Meter von den alten Duschen entfernt im Tischfußballtisch aufgetaucht. Natürlich sofort Polizeiauflauf, und gleich alles fachmännisch unter Kontrolle: Erstens Mord nicht im Keller passiert, sondern Leiche an einem anderen Ort zerstückelt und nur nachträglich im Tischfußballtisch verstaut. Obwohl ich ehrlich sagen muß, dafür brauche ich keinen Polizeiexperten, das hätte ich denen auch sagen können. Sonst wäre ja dem Franz schon viel früher was aufgefallen.

Aber die Polizei dieses Mal wirklich auf Draht, und sofort einen Verdacht: die Klostersuppe. Weil da sind ja Tag für Tag die ärmsten Schlucker im Marianum ausgespeist worden. Und ein paar von denen waren schon die reinsten Stammgäste. Leider auch manchmal Mißbrauch der Hilfsbereitschaft, daß welche geglaubt haben, sie können sich über Nacht im Vogelhaus oder im Minigolfhaus einnisten. Da hat der Regens immer wieder den Haustischler schicken müssen, praktisch Razzia, weil Sicherheit für die Zöglinge natürlich Vorrang.

Und du darfst eines nicht vergessen. Hier zerstückelt oder dort zerstückelt – ein bißchen Blut wäre auf jeden Fall noch aus dem Ballschlitz getropft, wenn die dreiundzwanzig Leichenteile nicht so fein säuberlich in Plastiksäcke verpackt gewesen wären. Bei der rechten Hand vom Restaurator hat sich ja der Plastiksack nur gelöst, weil der Franz so lange daran gezupft hat, bis die Hand herausgerutscht ist. Jetzt natürlich leichtes Spiel für die Polizei, weil wer hat schon dreiundzwanzig Plastiksäcke bei der Hand außer ein Obdachloser? Ein Nichtseßhafter, wie man heute sagt, ein Adressenloser, bei uns heißt es Sandler, bei den Deutschen Penner, und am besten sagen sie es auf englisch, paß auf: Plastiktaschen-Mann.

Und ob du es glaubst oder nicht, den Täter haben sie noch am selben Tag geschnappt, weil der hat sich sein Schlafnest im alten Duschtrakt eingerichtet. Und die Spuren von der Zerstückelung im Duschraum, Schlachthaus Hilfsausdruck. Jetzt Vermutung naheliegend, daß der Restaurator ihn aufgestöbert hat, daß der vielleicht

auf der Suche nach seiner Vergangenheit in den Dusch-
keller eingestiegen ist. Daß der Plastiktaschen-Mann ihn
aus Angst um sein Revier erschlagen hat. Genau wird
man es nie erfahren, weil der hat sich dann in einer der
Duschen aufgehängt, darum haben sie ihn ja so schnell
gefunden.

Zuerst Adrenalinstoß, hat er noch alles fein säuberlich
verpackt, das stelle ich mir ein bißchen wie einen Putz-
rappel vor, aber dann, wie alles verpackt und verstaut
war, muß ihm klargeworden sein, was er getan hat, hat
er sich auf den Duschhahn gehängt.

Der war früher einmal Wetteransager beim Radio,
dann drei verregnete Sommer, die Leute natürlich gnadenlos, sind seine Sympathiewerte in den Keller ge-
rasselt, bis man ihn entlassen hat. Dann hat der leider
den gleichen Fehler wie die Leute gemacht und auch
einen Schuldigen gesucht, kurz und gut, er hat den Chef
der Zentralanstalt für Meteorologie, der ihm immer die
schlechten Wetterwerte geliefert hat, über den Haufen
gefahren, Mordversuch, drei Jahre Gefängnis, und nach
der Entlassung nie wieder erholt.

Und jetzt dieses Ende, ausgerechnet an einem strah-
lenden Sommertag, fürchterliche Geschichte. Aber für
die Kripo angenehme Geschichte, weil Rückfalltäter immer gut, und sogar Blutspuren an der Jacke vom obdach-
losen Wetteransager, und Akte geschlossen, so schnell
schaust du gar nicht.

Für den Brenner ist dadurch natürlich alles nur noch
schwieriger geworden. Weil einziger Zeuge verschwunden, und wie schaut es jetzt aus mit dem Bischofskandidaten Schorn? Wen soll der Brenner jetzt am besten

fragen, ob der Monsignore Schorn den Toten aus dem Tischfußballtisch damals als kleinen Buben ein bißchen gedingst hat? Diese kleinen Fälle sind ja oft viel schwieriger zu lösen als die großen Mordfälle. Am besten natürlich Kontakt zur Gattin vom Verstorbenen herstellen, sprich Witwe. Aber Witwe immer schwierig, weil Trauer und alles. Und in diesem Fall noch schlimmer als gewöhnlich, weil Witwe Tochter vom Festspielvize.

Der Brenner hat also ein paar Tage gewartet und sich zuerst einmal im Haus umgehört. Aber im Haus hat es auch nicht mehr viel zum Umhören gegeben, weil die Ferien haben angefangen, jetzt das Haus von einem Tag auf den anderen wie ausgestorben. Alle Schüler weg, alle Lehrer weg, fast das ganze Personal weg, die asiatischen Hausgehilfinnen heimgeflogen, und so waren überhaupt nur mehr der Regens und ein paar Präfekten über den Sommer im Marianum.

Er hat sogar schon angefangen, in allen Ecken des Marianums herumzuwühlen, aber außer einem Personal-Gruppenfoto auf dem Müllberg hinter der Tischlerei ist ihm nicht viel untergekommen. Und das ist ihm auch nur aufgefallen, weil jemand die meisten Gesichter aus dem Foto herausgeschnitten hat, wahrscheinlich für eine Bastelei. An und für sich nicht aufregend, aber wenn gerade ein Mensch in dreiundzwanzig Teile geschnitten worden ist, dann wirst du bei solchen Sachen empfindlich. Und der Brenner hat auf einmal jeden Eingeborenen verstanden, der einen Tanz aufführt, nur weil ihm auf einem Foto ein Arm abgeschnitten worden ist.

Spätestens da ist dem Brenner aufgefallen, daß es so nicht weitergeht. Einen Tag nach dem Begräbnis hat er sich also doch endlich zu der Witwe hinaufgetraut. Hinauf, weil natürlich auch am Mönchsberg gewohnt, der Vater am Kapuzinerberg, die Tochter am Mönchsberg, die hätten sich mit einem Opernglas über die Stadt hinweg direkt in die Fenster schauen können.

Aber statt daß der Brenner dann eine Erinnerung aus der Witwe herausgebracht hätte, hat die Witwe eine Erinnerung im Brenner geweckt. Paß auf, das ist interessant.

Wie der Brenner selber noch in die Schule gegangen ist, Puntigamer Gymnasium, hat er einmal einen Blödsinn gemacht. Die zertrümmerte Fensterscheibe hätte man dem Halbstarken wahrscheinlich gar nicht so übel genommen, weil Allgemeinbildung: Das gehört bei einem richtigen Bubenleben dazu. Aber daß er die Scheibe zertrümmert hat, indem er die Nachbarkatze wie den reinsten Fußball vom Gehsteig aus durchs geschlossene Fenster ins Wohnzimmer geschossen hat, das hat schon ein bißchen für Gerede in Puntigam gesorgt.

Und wie jetzt die Witwe den Brenner aus ihrem Haus hinauskomplimentiert hat, nur weil er bei ihr geklingelt hat, das hat ihn eben daran erinnert, wie er selber damals die Katze in ein Haus hineinkomplimentiert hat, sprich gnadenlos. Sie hat eigens ihr asiatisches Hausmädchen von der Tür zurückgerufen, damit sie persönlich den ungebetenen Gast davonjagen kann. Und ob du es glaubst oder nicht. Die junge Witwe mit ihren grünen Augen und ihrer blonden Mähne hat auch ein bißchen etwas von einer Katze gehabt.

Der Nachbarkatze damals in Puntigam hat das gar nichts ausgemacht. Weil Katze natürlich neun Leben, der hat das sogar getaugt. Die Angorahaare natürlich sind nur so geflogen, da hätte sich die Nachbarin ohne weiteres einen Pullover stricken können, aber sonst kein Hinken und kein gar nichts. Und pädagogischer Effekt großartig, weil die Katze ist tagelang nicht mehr auf dem Gehsteig herumgesessen und hat blöd in die Gegend geschaut. Das war es ja, was den dreizehnjährigen Burschen an ihr so aufgeregt hat. Weil wenn du heute dreizehn bist und den ganzen Tag nur am Gehsteig herumlungerst und blöd in die Gegend schaust, siehst du es nicht gern, daß dich eine Katze nachäfft.

Und der Effekt für den Brenner jetzt auch großartig. Weil ich muß es ehrlich zugeben, der Brenner war manchmal nicht der Schnellste, immer noch ein bißchen das gedankliche Gehsteiglungern. Und da ist hin und wieder ein Tritt nicht das Schlechteste. Ich möchte fast wetten, daß ihm nur deshalb jetzt so schnell eine alte Bekannte eingefallen ist, die ihm aus der Zeit, wo er bei der Salzburger Kripo stationiert war, noch einen Gefallen schuldig war.

Also nichts wie hinunter und nichts wie hinein ins Festspielhaus, wo das Fräulein Schuh damals als Sekretärin beschäftigt war. Und wie er die Tür zum Sekretariat aufmacht, springt das Fräulein Schuh gleich auf: «Ja, der Herr José!»

Jetzt nicht daß du glaubst, der Brenner hat sich in den Jahren so verändert, daß sie ihn verwechselt hat. Ganz im Gegenteil. Das war die beste Begrüßung, die er sich nur hätte wünschen können. Deshalb war er ja da, weil ihm das Fräulein Schuh noch einen Gefallen schuldig war wegen dieser José-Geschichte.

Da hat es nämlich damals bei den Festspielen diesen argentinischen Tenor gegeben, und die Frauen natürlich vollkommen verrückt gespielt: Hotel belagert, Bühne gestürmt, alles! Weil wenn so ein Lateinamerikaner in den Schmalztopf greift, da werden ja die Bürgersfrauen oft ganz wild, das glaubst du gar nicht.

Und ich muß sagen: Hotel belagern, Bühne stürmen, das laß ich mir ja heute als Operntenor noch gefallen. Aber dann natürlich die Anrufe. Da ist damals ausgerechnet das Fräulein Schuh unter Verdacht geraten. Der Brenner hat das überprüfen müssen, und natürlich sofort Hausverstand: Das glaube ich nicht, daß diese alte Jungfer solche Anrufe macht. Weil das Fräulein Schuh natürlich schon ein bißchen Inbegriff. Ein knochiges Weiblein mit einer Brille, die womöglich noch ein paar Jahrhunderte mehr auf dem Buckel gehabt hat als das Fräulein selber. Ihre Haare hat sie so streng zurückgebunden, daß dich beim Hinschauen die eigene Kopfhaut gebrannt hat. Und ihre Lippen waren so dünn, ich muß sagen mikroskopisch, daß man sich nur gefragt hat, mit welchem Trick sie da den knallroten Lippenstift hinaufgezaubert hat.

«Was verschlägt Sie denn zu mir?» hat sie den Brenner angestrahlt. «Werde ich etwa schon wieder verdächtigt?»

«Ja, leider.»

«Daß ich den Schwiegersohn von unserem Vize zersägt habe?»

Mein lieber Schwan! Die hat ja ein völlig anderes Auftreten gehabt als damals. Vielleicht damals nur so zerknirscht, weil sie unter diesen fürchterlichen Verdacht mit den Anrufen gekommen ist. Weil man hat gesagt, der

Herr José wechselt seine Telefonnummer schon fast täglich, und doch kriegt er die Anrufe immer noch.

Das mußt du dir einmal vorstellen, sogar direkt vor seinen Auftritten hat der oft die Anrufe gekriegt, die ihn natürlich vollkommen aus dem Konzept gebracht haben. Und Verdacht, das muß jemand aus dem Sekretariat sein, sonst kann die Nummern ja niemand wissen. Und das Fräulein Schuh natürlich der größte Fan des Herrn José, Fotos, Autogramme, Taschentücher, alles gesammelt. Und dann das mit der Aussprache. «Man sagt nicht Schosé und man sagt nicht Tschosé und man sagt nicht Iosé und man sagt nicht Kosé!» Jeden hat sie mit ihrem ewigen Sprachunterricht genervt: «Man sagt Hosé!»

Darum der Verdacht sofort auf das Fräulein Schuh. Weil die Anruferin ja immer nur Andeutungen rund um dieses eine Wort gemacht hat, quasi «Hosé, verlier nicht deine Hosé», und noch schlimmere Sachen.

Der Brenner hat die Angelegenheit dann aber ruck, zuck aufgeklärt. Es hat sich herausgestellt, daß der Herr José gar nicht seine Hose verloren hat, sondern seine Stimme. Der hat nur eine Ausrede für seine fürchterlich schlechten Auftritte gebraucht und deshalb die Anrufe erfunden. Bei den Salzburger Festspielen ist der natürlich nie mehr aufgetreten, aber auch wieder so ein Beispiel dafür, daß ein Nachteil sich oft in einen Vorteil verwandelt, weil in Baden-Baden hat der dann mit seinem bißchen Stimme noch das große Geld gemacht, frage nicht.

Deshalb hat der Brenner sich jetzt daran erinnert, daß ihm das Fräulein Schuh noch einen Gefallen schuldig ist. Weil das Fräulein Schuh hat zwar in ihrem Leben nie in ein Telefon hineingeflüstert. Aber sie hat in ihrer Position so viel am Telefon gehört, die hat Dinge über Leute gewußt, die die Leute selber nicht gewußt haben.

«Sie wollen von mir hören, wie die Ehe war!» hat sie den Brenner durch ihre dicke Brille herausfordernd angeschaut. Siehst du, der hat man nicht einmal die Fragen stellen müssen. Der hat man nicht einmal erklären müssen, daß man mit dem Fall Gottlieb Meller betraut ist. Die hat schon alles gewußt. Er hat ja wirklich von ihr wissen wollen, wie die Ehe zwischen der Präsidententochter und dem Gottlieb so gelaufen ist. Aber jetzt hat er das alte Fräulein Schuh absichtlich ein bißchen mißverstanden.

«Ich habe gar nicht gewußt, daß Sie geheiratet haben.»

«Ich?» Das Fräulein Schuh ist so rot geworden, daß es den Brenner nicht gewundert hätte, wenn es auf ihren blitzend weißen Blusenkragen abgefärbt hätte.

Der Brenner hat damals in den paar Tagen mit der José-Sache das Fräulein Schuh gar nicht so schlecht kennengelernt. Er hat sich erinnert, daß sie großen Wert auf die Anrede Fräulein gelegt hat, obwohl sie einen erwachsenen Sohn gehabt hat. Aber das war der einzige Mann in ihrem Leben, daran hat das Fräulein Schuh keinen Zweifel gelassen. 1964 hat sie ihn auf die Welt gebracht und bis heute keinem Menschen verraten, wer der Vater war.

Ich persönlich sage ja immer, schnippische Frauensprache im Grunde genommen nicht sehr positiv, aber wenn dir eine mit einer guten Antwort übers Maul fährt, hat es schon wieder was. Und das Fräulein Schuh zu jedem, der sich blöd über den Vater erkundigt hat: «Der Heilige Geist wird's schon nicht gewesen sein!»

Da hat ihr wer schon sehr sympathisch sein müssen, daß sie ihm anvertraut hat: «Der John F. Kennedy war es, aber sag's bitte nicht weiter. Darum hab ich ihn ja auch nach ihm getauft.» Weil 1963 das Attentat auf den John F. Kennedy, Amerika drüben, von der Jackie Onassis der erste Mann, das war damals in aller Munde, ja was glaubst du, Lee Harvey Oswald auf der Gegenseite, siehst du, alles fällt mir wieder ein.

Deshalb hat der Brenner natürlich genau gewußt, daß sie mit der Ehe nicht ihre eigene meint. Er hat sie aber auch nicht nur aus reiner Bosheit mißverstanden. Sondern alte Erfahrung, wenn ein Mensch sich selber die Fragen stellt, kommt immer eine Lüge als Antwort.

Das Fräulein Schuh hat sich aber nicht so schnell den Wind aus den Segeln nehmen lassen. Die hat sich jetzt wieder ganz in die schmallippige Vorzimmer-Schreckschraube von damals verwandelt und mit ihrer sonst nur für stinkende Fahrradboten reservierten Stimme gesagt: «Sie haben mir heute gerade noch gefehlt. Was wollen Sie eigentlich?»

«Ich wollte Sie nur fragen, wie die Ehe zwischen der Tochter Ihres Präsidenten und dem Gottlieb Meller so war.»

«Vizepräsident», hat das Fräulein Schuh ihn über ihre Schulter hinweg unterbrochen, weil sie gerade den Aktenschrank aufgeschoben hat. Aber nicht daß du glaubst, sie hat Akten über die Ehe herausgeholt. Sondern hinter dem dicksten Ordner kleines Cointreau-Fläschchen.

«Wenn man sich jahrelang nicht gesehen hat, wird man wohl zuerst einmal kurz anstoßen dürfen, bevor man über das Geschäftliche redet.»

Weil sie hat es jetzt dem Brenner beweisen müssen, daß sie sich nicht von ihm dieselbe Frage stellen läßt, die sie sich vorher schon selber gestellt hat.

War aber vielleicht gar kein Fehler, daß sie zuerst einmal ein Gläschen getrunken haben, weil wenn zwei richtige Sturschädel zusammenkommen, Alkohol oft die einzige Rettung. Überhaupt muß ich sagen, ohne Alkohol Welt wahrscheinlich schon längst ausgestorben. Da soll man nicht immer so kleinlich die Opfer des Alkohols betonen. Andererseits soll man die Opfer natürlich auch nicht leugnen, weil wenn das Fräulein Schuh jetzt nicht so gesprächig geworden wäre, kaum daß das Cointreau-Gläschen unten war, wären wir heute wahrscheinlich drei Tote weniger.

«Sie wollen also wissen, wie die Ehe der beiden war!»

Im Büro haben das alle seit Jahrzehnten gewußt: Das Fräulein Schuh gibt nicht nach, da fährt die Eisenbahn drüber, und wenn das Fräulein Schuh sagt, die Sonne geht im Westen auf, dann geht die Sonne im Westen auf, da sparst du dir nur einen Haufen Energien, wenn du es sofort zugibst. Und der Brenner hat es jetzt langsam auch begriffen. Deshalb hat er nur genickt, quasi: Machen wir halt einmal eine Ausnahme, soll sich die alte Schachtel ihre Fragen selber stellen.

«Gar nicht war die Ehe», hat das Fräulein auf ihre Frage geantwortet und die beiden Gläschen noch einmal vollgeschenkt. «Sie wollen jetzt sicher wissen, was ich damit meine, daß die Ehe gar nicht war. Ganz einfach. Sie hätte den guten Gottlieb nicht heiraten sollen. Er war kein richtiger Mann. Sie wollen sicher wissen, was ich unter keinem richtigen Mann verstehe.»

«Ich kann es mir vorstellen.»

Jetzt Blick des Fräuleins. Töten wäre im Vergleich dazu der reinste Gnadenschuß gewesen.

«Warum hat sie sich nicht scheiden lassen?» Das war jetzt der Brenner, der gefragt hat.

«Sie sollten lieber fragen, warum sie ihn geheiratet hat», hat das Fräulein ihn angeschnarrt. «Und die Antwort darauf kann ich Ihnen gern geben: Sozialwahn!»

«Sozialwahn?»

Das hat der Brenner jetzt gar nicht als Frage gemeint, er hat es sich schon ungefähr vorstellen können, was sie darunter versteht. Aber natürlich, ausgerechnet bei dem Punkt hat jetzt das Fräulein gar nicht mehr mit dem Antworten aufhören können.

Und ist ja auch wirklich eine interessante Sache. Weil die Kinder von den reichen Leuten haben es auch nicht immer leicht. Natürlich, 90 Prozent zum Vergessen, weil die Ausbildung zum Cabriofahrer überstehen ja nur die wenigsten ohne Hirnverkühlung. Aber andererseits, 90 Prozent von den normalen Leuten auch zum Vergessen! Ist natürlich schon wahr, daß Geld den Charakter verdirbt, bin ich der letzte, der das bestreitet. Aber Armut verdirbt auch den Charakter, Mitteldings verdirbt auch den Charakter. Charakter überhaupt ein sehr empfindliches Gemüse. Jetzt vielleicht kleiner Trost: Manche Gemüse schmecken erst so richtig, wenn sie schon ein bißchen am Hinübersinken sind.

Aber die Präsidententochter immer bei den 10 Prozent dabei. Vorbildlicher Mensch schon in der Jugend. Kein Cabrio, kein Surfen, kein gar nichts, sondern die ist zweimal in der Woche freiwillig ins Altersheim putzen gegangen. Immer alles mit dem Sozialen, Sockenstricken für die Massenmörder, dann sogar Sozialakademie studiert, daß sie der Vater fast enterbt hätte, leerstehende Wohnungen besetzen, Asylanten schmuggeln, Haschisch rauchen und, und, und!

«Aber das schlimmste war natürlich», hat das Fräulein Schuh wieder mit ihrer Flüsterstimme gesagt.

Du darfst nicht vergessen, daß der Brenner langsam auf die fünfzig zugegangen ist, und das ist ein Alter, wo du schon gewisse Verschleißerscheinungen bemerkst. Jetzt hat er ein bißchen gezweifelt, ob er vielleicht schon so schlechte Ohren hat, daß er das Geflüster, was das schlimmste war, nicht hört.

«Na, was wohl?» hat das Fräulein Schuh ihn aus seinen Ängsten aufgeschreckt. Weil die hat gar nicht weitergeredet, sondern wie eine Lehrerin, die an das Mitarbeiterische im Schüler glaubt, hat sie den Brenner ein bißchen zum Mitdenken eingeladen, quasi, jetzt schauen wir uns einmal an, was du für ein Detektiv bist.

Und ob du es glaubst oder nicht, der Brenner jetzt so erleichtert über sein intaktes Gehör, daß er die Antwort herausgeschossen hat, praktisch Pistole: «Das schlimmste war natürlich, daß sie diesen Mann geheiratet hat, der dem Vize keinen Enkel gemacht hat, weil seine einzige Bettgeschichte die war, daß er sich auf der Psychiatercouch wundgelegen hat.»

«Prost!» hat das Fräulein Schuh gesagt, und hinunter mit dem dritten Gläschen Cointreau. «Jetzt fragen Sie schon!»

«Ich glaub, das meiste hab ich schon gefragt», hat der Brenner behauptet. Weil drei Gläschen Cointreau, da hat der Mensch plötzlich viel mehr das Gefühl, daß er im Grunde schon alles gefragt hat, darin besteht ja das große Verdienst des Alkohols.

«Und wie das Verhältnis von unserem Vize zu seinem Schwiegersohn war, interessiert Sie nicht?»

«Das weiß ich schon», hat der Brenner behauptet.

«Aha.»

«Sein Therapeut hat mir erzählt, daß es in letzter Zeit besonders schwierig war.»

«Therapeut!» hat das Fräulein verächtlich geschnauft.

«Dr. Prader.»

«Bei dem gehen ja die Leute nur in Behandlung, damit sie es nachher nicht so weit zum Hinunterhüpfen haben.»

«Der Präsident hat den Gottlieb anscheinend sehr unter Druck gesetzt.»

«Gottlieb, das arme Unschuldslamm», hat das Fräulein spöttisch geträllert wie die reinste Operndiva. Weil natürlich Mädchentraum Sängerin, aber leider stimmlich mehr auf der schrofferen Seite und Sängerin nicht ideal, Chefsekretärin ideal. Aber manchmal ein bißchen spöttisch trällern, da hat man den Urwunsch noch durchgespürt.

Dann hat sie eine Broschüre herausgekramt und sie dem Brenner unter die Nase gehalten. «Gründergeist» ist in prächtigen Goldbuchstaben auf dem Umschlag gestanden, und der Brenner hat fasziniert mit den Fingern über die geprägten Buchstaben gestrichen.

«Das ist der Privatverein von unserem Vize. Er hat sich zum Ziel gesetzt, den Geist der Gründer der Salzburger Festspiele wieder mehr zu pflegen. Hugo von Hofmannsthal und Richard Strauss.»

«Sehr interessant», hat der Brenner gesagt. Und da hat er doch Fortschritte gemacht gegenüber früher, wo er sich noch nicht so für die klassische Kunst interessiert hat. Weil er hat jetzt gewußt, Strauss Glatteis, da muß man wahnsinnig aufpassen mit den Vornamen, und nicht jeder ist automatisch der Walzerkönig. Hofmannsthal vergleichsweise einfach, weil Hofmannsthal immer Hugo.

«Unser Vize hat seinen Schwiegersohn gebeten, ihm ein Logo für seinen Verein zu machen. Der hat eine graphische Ausbildung gehabt. Er war ja Buchrestaurator, haben Sie das gewußt?»

«Im Bischofsarchiv.»

«Und das hier ist das Ergebnis.» Das Fräulein hat auf vier Noten gezeigt, die dem Hugo von Hofmannsthal auf dem Kopf herumgetanzt sind.

«Sind das die Noten aus einer berühmten Oper?» hat der Brenner gefragt.

«Das hat unser Vize auch geglaubt», hat das Fräulein gekichert und dem Brenner die Noten der Reihe nach vorgelesen: «a – f – d – h!»

«Ein Thema?» hat der Brenner gefragt.

«Ja, ein Thema.» Das Fräulein hat so blumig gekichert, da hat man schon wieder den Sängerinnen-Traum gemerkt. «Erst als alles gedruckt war, hat der Herr Schwiegersohn unseren Vize aufgeklärt, wofür die Noten stehen.»

«Ein modernes Thema?»

Sie hat den Kopf geschüttelt: «Noch schlimmer. Überhaupt kein musikalisches Thema. Die Noten stehen gar nicht für Musik, sondern für eine Abkürzung.»

«Wie heißen diese Noten?»

«a – f – d – h.»

«Aber es sind keine Noten, sondern eine Abkürzung?»

«Alles – für – den – Hugo!»

«Alles für den Hugo!» hat der Brenner gestaunt. Und er hat sich gewundert, daß er dabei an die Tochter vom Vize denken muß, wahrscheinlich, weil sie ihn wie eine Katze aus dem Haus komplimentiert hat und weil man ja auch sagt: Alles für die Katze.

«Der Vize hat das aber überhaupt nicht lustig gefunden», hat das Fräulein seine ewigen gedanklichen Abschweifungen unterbrochen. Sie hat auf einmal so leise geredet, als hätte sie Angst, der alte Bühnenlautsprecher, der die Aufführungen ins Sekretariat übertragen hat, könnte womöglich auch in die Gegenrichtung senden, praktisch Abhörmikrofon, wo der Herr Festspielvize persönlich sein Sekretariat überwacht. «Unter uns gesagt», hat sie geflüstert, «bei seinem erzkonservativen Verein ist wirklich alles ein bißchen –»

«– für den Hugo.»

«Ja», hat das Fräulein Schuh genickt. «So könnte man es ausdrücken. Das war vor einem Monat, daß der Gottlieb die Katze aus dem Sack gelassen hat.»

«Den Hugo.»

«Genau, den Hugo. Und seither hat der Vize kein Wort mehr mit seinem Schwiegersohn geredet.»

«Und was war mit der Tochter?»

«Die steht ja schon viel länger auf Kriegsfuß mit ihrem Vater.»

«Schwärmt sie nicht so für die Hugo-Musik?»

«Die Tochter schon!» ist mit dem Fräulein Schuh wie-

66

der die spöttische Opernsängerin durchgegangen. «Die TOochter schOn!» hat sie geträllert, als müßte sie einen Gesangswettbewerb um das rundeste «O» gewinnen.

«Die Tochter schon», hat der Brenner wiederholt. Aber bei ihm hat es nach nichts geklungen. «Und der Vater?»

Sie hat nur spöttisch gelächelt.

«Hat er kein gutes Gehör?» Weil sein Puntigamer Musiklehrer hat immer gepredigt, Gehör wichtiger als Stimme, schau dir den Louis Armstrong an!

«Gehör schon», hat das Fräulein Schuh gesagt und neckisch vor ihrem Ohr Daumen und Zeigefinger gerieben.

«Mehr für den Mozart am Fünftausend-Schillingschein?»

«Und der wird jetzt auch noch abgeschafft», hat das Fräulein geseufzt, als wäre das auch noch die Schuld von ihrem Chef.

«Das neue Geld knistert sicher auch schön in seinen Ohren.»

«Jaja. Wirtschaftlich ist er ganz für das Moderne.»

«Aber bei der Hugo-Musik kennt er keinen Spaß?»

«Das hat ihm auch seine Tochter immer vorgehalten. Sie wissen ja, Töchter werfen ihren Vätern gern Doppelmoral vor.»

«Nein, das weiß ich gar nicht.»

«Na, jetzt wissen Sie's!»

«Aber wenn sie so eine Musikliebhaberin ist, profitiert sie zumindest davon, daß sie sich die Aufführungen bei den Festspielen anschauen kann. Die muß sich nicht um Karten anstellen.»

«Ich kenne keinen Menschen, der so eine Aufführung mehr genießt. Sogar jetzt, wo ihr Mann noch nicht einmal eine Woche tot ist, läßt sie sich die Vorstellungen nicht entgehen.»

«Und ich habe heute den Eindruck gehabt, daß sie seit Tagen nicht das Haus verlassen hat. Die hat mich vor die Tür gejagt wie einen Hund.» Weil Katze wäre dem Brenner vor dem Fräulein Schuh gar zu erbärmlich vorgekommen, darum Hund. «Fast wäre ich Ihnen durchs offene Dach in die Felsenreitschule gesegelt, so hat sie mich aus ihrem Garten gestaubt.»

Das Fräulein Schuh hat gelacht. Er hat schon geglaubt, guter Witz, das mit der Felsenreitschule, wo ja wirklich manchmal die Selbstmörder beim offenen Dach hineingesprungen sind. Aber nein, sie hat gelacht, weil das gar nicht die Witwe gewesen ist.

«Ihr Vater stellt ihr die Mönchsberg-Villa ja nur zur Verfügung. Die könnte sich so ein Haus doch nie im Leben von ihrem Sozialarbeitergehalt leisten. Aber im Sommer muß sie immer raus, da vermietet er es weiter, damit er das Geld wieder hereinbringt. Das war ja der Grund, warum sein Schwiegersohn zeitlebens so sauer auf ihn war. Stellen Sie sich vor, als erwachsene Menschen jeden Sommer für zwei Monate raus aus dem eigenen Haus.»

Ist also die Angorakatze gar nicht die Witwe gewesen. Und der Brenner hat sich schon gewundert, wie man nach so einem tragischen Todesfall derart resolut sein kann.

«Und wo wohnt sie in der Zwischenzeit?»

«Natürlich bei ihrem Vater. Der ist ja allein in seinem Riesenhaus. Aber ich weiß etwas Einfacheres, wie Sie sie treffen können. Morgen geht sie ins große Festspielhaus. Vorpremiere.»

«Ich fürchte, da hab ich keine Karte.»

«Ich fürchte, das läßt sich einrichten», hat das Fräulein gelächelt. Sie hat eine Freikarte aus ihrem Regal gleich neben dem Depot für die Cointreau-Flasche herausgefischt. «Die Karte für ihren verstorbenen Mann hat sie zurückgegeben.»

«Verstorben», hat der Brenner ein bißchen die Stirn gerunzelt. «Was hätten Sie denn sonst mit der Karte gemacht?»

Das Fräulein hat den Zeigefinger dorthin gelegt, wo andere Menschen Lippen haben: «Verkauft. Aber das ist streng verboten.»

«Sie hätten sie schwarz verkauft?»

Jetzt der Brenner natürlich Hemmungen, die Karte anzunehmen. Er hat geglaubt, so eine Karte kostet Millionen. Du mußt wissen, vor einem halben Menschenleben war der Brenner schon einmal in der Oper, Polizeischulausflug in die Wiener Staatsoper. Schon sehr interessant, aber in der Pause haben sie eine Striptease-Bar entdeckt, und dann eben, das mußt du dir vorstellen wie ein Kind, das beim Spielen ein bißchen die Zeit vergißt. Sind sie nicht mehr in die Oper zurück. Und obwohl sie alle nur einen billigen Studenten-Stehplatz gehabt haben, hat der Brenner sich sein Leben lang eingeredet, daß es der Opernbesuch war, der ihn auf Jahre hinaus ruiniert hat.

Deshalb hat er die Karte jetzt nicht und nicht annehmen wollen. Aber wäre das erste Mal gewesen, daß sich jemand gegen das Fräulein Schuh durchsetzt. Und ich muß zu ihrer Ehrenrettung sagen, daß es eine ziemlich große Karte aus sehr steifem Papier war. Weil sie hat die Karte jetzt dem Brenner einfach in die Gesäßtasche geschoben, während sie ihm mit starren Augen ins Gesicht geschaut und mit spanischem Akzent gesagt hat: «Hosééé! Ich schieb sie dir in die Hosééé.»

Der Brenner hätte schwören können, daß es genau die Stimme war, die sie damals mitgeschnitten haben. Aber wie lange kann man sich eine Stimme schon merken, und das Fräulein Schuh musikalisch gebildet, die hat so was natürlich gut imitieren können, sprich Gehör wichtiger als Stimme.

Für solche Überlegungen hat er aber jetzt sowieso keine Zeit mehr gehabt. Er hat sich beeilen müssen, weil in ein paar Stunden schon die Aufführung und vorher noch irgendwo einen Anzug organisieren.

Aber soviel kann ich jetzt schon sagen: Wie einfach der Brenner dann bei der Vorpremiere Kontakt zur Präsidententochter geknüpft hat, das hat ihn selber überrascht. Für die zwei Leute, die es dann an den folgenden Tagen erwischt hat, war das natürlich trotzdem a – f – d – h.

5

Die meisten Opern haben vorne ein Stück, wo noch nicht gesungen wird. Das dauert oft allein schon ziemlich lange, und der Brenner hat sich gewundert, wie gut man bei so einer Berieselung nachdenken kann. Weil in so einer Musik steckt ja soviel raffinierte Komposition drinnen, daß du gedanklich angesteckt wirst und automatisch auch besser mit den Gedanken bist.

Jetzt ist der Brenner alles noch einmal durchgegangen: Ob an dem Gerücht was dran ist, daß der Bischofskandidat Schorn damals den Gottlieb ein bißchen gedingst hat. Das ist mein Auftrag. Ob es wirklich der Obdachlose war, der den Gottlieb in den Tischfußballtisch gesteckt hat. Das ist nicht mein Auftrag. Wenn ich mit der Frau neben mir in der Pause ins Gespräch kommen könnte. Das wäre gut. Aber wie? Das ist die Frage.

Du siehst schon, das Rhythmische von den Gedanken. Das ist von der Musik gekommen. Weil Rhythmus immer ansteckend, und sogar sein Atem hat diesen wunderbaren ruhigen Rhythmus angenommen.

Aufgewacht ist er dann aber nicht, weil sie mit dem Singen angefangen haben, quasi Sopranschock. Aufgewacht ist er erst, wie einem Festspielgast der Digitalwecker abgegangen ist. Aber glaubst du, der hätte ihn abgestellt? Nicht und nicht! Bis sogar der Brenner aufgewacht ist. Dann natürlich peinlich bis dort hinaus.

«Entschuldigung», hat der Brenner geflüstert, wie er

bemerkt hat, daß er ein bißchen auf der Schulter von der Witwe neben ihm eingeschlafen ist.

Ich sage, so etwas kann vorkommen, Zug, Theater, Oper, daß man ein bißchen auf der Schulter von einem fremden Menschen einnickt. Und die Witwe war auch gar nicht böse. Eine große, vielleicht dreißigjährige Frau mit einer netten Bubenfrisur und einem sympathischen Lächeln, hat der Brenner sich gedacht. Weil sie hat ihn freundlich angelächelt, wie sie geflüstert hat: «Machen Sie lieber Ihre Uhr aus, bevor hier noch jemand den Blutrausch kriegt.»

Weil von einer fremden Uhr wäre er ja wahrscheinlich gar nicht aufgewacht. Aber auf die eigene bist du eingestellt, das alarmiert dich im tiefsten Schlaf.

Natürlich ist das ein bißchen eine unangenehme Situation für den Brenner gewesen. Aber im Leben immer wieder interessant, daß eine Niederlage sich im nachhinein oft als ein Volltreffer erweist. Wo man hinterher zugeben muß, siehst du, wenn mir nicht Haus und Hof abgebrannt wären, wenn ich nicht meine gutbezahlte Stelle und meine wunderschöne Frau verloren hätte, dann hätte ich dieses hochinteressante Kreuzworträtsel wahrscheinlich gar nie aus der Mülltonne gefischt.

Und beim Brenner jetzt auch wieder typisch, hat sich aus seinem peinlichen Einschlafen heraus das Problem, wie er die Witwe in der Pause anreden soll, ganz von selbst erledigt. Weil die Witwe hat im Hinausgehen ihn angeredet.

«Die Musik scheint Sie ja nicht gerade zu fesseln», hat sie ihr sympathisches Lächeln gelächelt. Sonst war sie gar nicht besonders attraktiv, ein bißchen groß für den

Brenner, ein bißchen teigig im Gesicht, ein bißchen hölzern in den Bewegungen, aber daß es so was gibt, das Lächeln hat sie doch attraktiv gemacht. Aber nicht daß du glaubst, Tochter vom Festspielvize, daher erster Zahnarztbesuch schon drei Tage nach der Geburt und dann viel zu viele Zähne wie die Amerikaner oder gar die Volksmusikanten mit ihrer ewigen Kiefersperre. Sondern wirklich ein schönes, sympathisches Lächeln, wie man es heute selten findet.

«Kommt auf die Musik an», hat der Brenner gesagt, während er im Hinauswurschteln aus der Sitzreihe immer noch geklatscht hat, praktisch Wiedergutmachung. Wenn zum Beispiel früher der Jimi Hendrix in Puntigam mit den Zähnen Gitarre gespielt hat, der Brenner immer dabei. Er war bestimmt kein besonders musikalischer Mensch, rein vom dings her gesehen, aber beim Jimi Hendrix hat er sogar Feinheiten unterscheiden können. Der Brenner hat immer gesagt, den frühen Jimi erkennst du am Gitarrenklang, und den späten Jimi erkennst du an der Stimme. Weil natürlich, das Drogenproblem hat die Stimme ein bißchen verändert. In der Polizeischule hat der Brenner solche Sachen ganz gern von sich gegeben, weil reine Männergruppe, da kannst du dich mit Meinungen ein bißchen in den Vordergrund stellen.

Und ein Kollege von ihm, eigentlich muß ich sagen bester Freund in der Polizeischule, der Irrsiegler, hat sich sogar so für den Jimi Hendrix begeistert, daß er selber angefangen hat Gitarre lernen. Der Brenner hat sich noch genau an seine nervtötenden Übungsakkorde erinnert. Erste Woche nur E-Dur-Akkord, zweite Woche nur C-Dur-Akkord, dritte Woche nur A-Dur-Akkord, und vierte Woche ist er dann mit dem Motorrad tödlich verunglückt.

Aber eines muß ich ganz ehrlich zugeben. Manchmal hat man es dem Brenner schon angemerkt, daß er neunzehn Jahre lang Polizist war. Weil schon ein bißchen unsensibel, daß er der Tochter vom Festspielvize brühwarm diese Geschichte vom Irrsieglerischen Gitarrenunterricht erzählt hat. Wo die doch gerade ihren Mann verloren hat. Und die Witwe noch dazu von der Musik komplett aufgeweicht, der sind sofort die Tränen in den Augen gestanden.

«Tut mir leid», hat der Brenner kleinlaut gemurmelt.

Die Witwe hat immer noch tapfer gegen die Tränen gekämpft und leise herausgewürgt: «Sagen Sie irgendwas Blödes!»

«Hab ich doch gerade.»

«Ja, allerdings. Aber ich will jetzt nicht hier zu heulen anfangen. Sagen Sie irgendwas!»

«Wissen Sie, woraus man den Leberkäse macht?» hat der Brenner sie gefragt.

Die Witwe hat den Kopf geschüttelt, und dabei hat sich eine Träne aus ihrem Augenwinkel gelöst.

«Aus den Resten der Knackwurst. Und wissen Sie, woraus die Knackwurst gemacht wird?»

Die Witwe hat wieder den Kopf geschüttelt, aber die blöde Fragerei vom Brenner jetzt schon ein bißchen Wirkung, weil diesmal keine Träne.

«Die Knacker», hat der Brenner erklärt, «wird wieder aus den Resten vom Leberkäse gemacht. Und aus den Knackerresten wird dann wieder der Leberkäse, und aus den Leberkäseresten wieder die Knacker und so weiter, das ist eine Unendlichkeit.»

«Jetzt geht's schon wieder», hat die Witwe aufgeatmet. «Wie kommen Sie denn auf so einen Blödsinn?»

«Die Musik», hat der Brenner gesagt. «Da kommen die Themen auch immer wieder zurück. Einmal a – f – d – h so gekämmt, dann a – f – d – h wieder so gekämmt.»

«Alles für den Hugo», hat die Witwe gelächelt. «Sie sind also doch der Mann, den mir das Fräulein Schuh angekündigt hat.»

«Brenner.»

Sie hat ihm aber nicht die Hand gegeben, vielleicht nur, weil ihre Hände schon mit einem Glas und einer Zigarette besetzt waren. Vielleicht aber auch, weil Händeschütteln in ihrer Familie in letzter Zeit, quasi negative Tendenz.

«Ich habe einen Auftrag vom Regens des Marianums.»

«Daß mein Mann ermordet wurde, wirft wohl kein besonders gutes Licht auf den Monsignore Schorn. Und Sie sollen seine Unschuld beweisen?»

«Oder seine Schuld.»

«Das wäre einfacher.»

«Wieso?»

«Logisch betrachtet kann man Unschuld nicht beweisen. Die Nicht-Existenz von etwas kann man nie endgültig beweisen. Theoretisch beweisen können Sie nur seine Schuld.»

«Aber ich kann die Existenz der Unschuld beweisen», hat der Brenner gesagt. Und da sieht man wieder, wie die Kultur ansteckend wirkt, weil brauchst du einen Brenner nur in den Pausenraum von einem weltberühmten Opernhaus stellen, und schon führt er auch diese hochgradigen Gespräche.

«Un-Schuld ist eine versteckte Verneinung», hat ihm die Witwe erklärt. «Für Nicht-Schuld. Und die können Sie nicht beweisen. Rein theoretisch.»

Und ich muß auch sagen, die Frauen haben mit der Logik in letzter Zeit gewaltig aufgeholt.

Aber der Brenner wieder besser mit den Tricks: «Theoretisch», hat er wiederholt. «Und praktisch?»

«Praktisch wundert es mich, daß die Polizei den Fall so schnell abgeschlossen hat. Sie wollten gar nichts davon hören, daß mein Mann am Tag vor seiner Ermordung überall lauthals herumposaunt hat, daß er einen Beweis für die Unzucht im Marianum gefunden hat.»

«Un-Zucht?» hat der Brenner die Stirn gerunzelt. «Hätten wir da nicht wieder einen unmöglichen Beweis für etwas Negatives?»

«Sagen Sie doch einfach Kindesmißbrauch durch den Monsignore Schorn dazu, wenn Ihnen Unzucht zu negativ klingt.»

«Aha. Jetzt haben Sie das ‹Un› weggezaubert.» Wunderbar, hat sich der Brenner gedacht, wie diese Witwe zaubern und lächeln kann. Sogar dann, wenn ihr überhaupt nicht nach Lächeln zumute ist. «Und dafür hat Ihr Mann einen Beweis gefunden?»

In dem Moment hat es leider geklingelt, und ob du es glaubst oder nicht: im Festspielhaus genau die gleiche Klingel wie im Marianum. Und sie hat dem Brenner den Traum zerstört, daß die Witwe ihm jetzt von diesem Beweis erzählt. Weil die hat es auf einmal furchtbar eilig gehabt, damit sie ja von der zweiten Opernhälfte keinen einzigen Ton versäumt.

Jetzt natürlich der Brenner so neugierig, von Schlaf

keine Rede mehr. Bis zum Ende der Vorstellung hat er öfter auf die Digitaluhr geschaut als in den letzten drei Jahren zusammen.

Aber nach dem Ende hat ihm die Witwe immer noch nichts verraten. Weil am nächsten Abend hat sie im Haus ihres Vaters eine Wohltätigkeitsparty geben müssen, jahrelange Tradition, und die hat sie trotz des Trauerfalls unmöglich absagen können. Jetzt hat sie noch ganz schnell zum Tenor in die Garderobe müssen, damit der ja morgen kommt, weil ohne den Tenor Wohltätigkeit nur halbe Sache.

Aber der Brenner ist einfach neben ihr hergegangen, das kennst du bestimmt, wenn man spazierengeht und auf einmal geht ein wildfremder Hund neben dir her, weil er dich aus irgendeinem Grund für seinen Besitzer hält. Neben der Präsidententochter ist der Brenner problemlos überall durchgelassen worden, und auf einmal sind sie vor der Garderobe des weltberühmten Startenors gestanden.

Der Brenner hat sich gewundert, daß es hinter der Bühne ganz ähnlich ausgesehen hat wie im Keller des Marianums. Und eben die Klingel, die dauernd abgegangen ist, auch genau gleich. Jetzt hat der Brenner schon ein bißchen spinnen angefangen, weil während er darauf gewartet hat, daß die Witwe aus der Garderobe des Startenors zurückkommt, ist ein asiatisches Mädchen aus der Nachbargarderobe gehuscht, und er hätte geschworen, daß er die exotische Schönheit noch vor ein paar Tagen im Marianum den Boden aufwischen gesehen hat.

Kurz darauf war auch die Witwe wieder da und hat den Brenner gefragt, ob er sie auf dem Heimweg begleiten will. Weil die Villa von ihrem Vater ja ganz vorne auf dem Kapuzinerberg, Festungsblick praktisch Postkarte, und das Marianum ganz hinten im Kapuzinerbergschatten, da hat er gar keinen großen Umweg machen müssen. Und die Witwe ist in der Nacht sowieso nicht so gern allein gegangen, weil in der Nacht die Stadtberge schon immer ein bißchen gespenstisch, da rauschen die alten Bäume oft so, daß man glauben könnte, man ist gar nicht mehr mitten in der Stadt, sondern quasi Brunnen vor dem Tore, wo die Seelen der Selbstmörder und Mordopfer ein bißchen ihren Rambazamba machen.

Aber nicht daß du glaubst, die Witwe hat ihm dann am Heimweg gleich von dem Beweis erzählt, den ihr Mann angeblich gefunden hat. Zuerst hat sie unbedingt noch einmal in der Wunde vom Brenner rühren müssen, sprich: Obwohl sie die steile Stiege auf den Kapuzinerberg hinaufgeschnauft sind, hat sie genug Luft gehabt, um noch einmal die Digitaluhr vom Brenner zu erwähnen, die ihm seine Kollegen nach neunzehn Jahren Polizei zum Abschied geschenkt haben. Weil da haben alle ein bißchen zusammengelegt, der eine drei Schilling, der andere fünf Schilling, je nach Sympathie, und ist eine schöne Digitaluhr zusammengekommen, aber leider ausgerechnet mitten in der Oper hat sie ihre Weckfunktion demonstrieren müssen.

«Dieses japanische Klingelzeug ist eine Pest», hat der Brenner gemurrt.

«Das ist die Revanche der Japaner für die Millionen von japanischen Musikstudenten, die sie herüberschicken, damit sie unsere Musik spielen lernen. Wir schicken niemanden hinüber, weil wir uns nicht für die japanische Musik interessieren.»

«Darum schicken sie uns musizierende Geräte herüber», hat der Brenner geschnauft.

«Womöglich klingen für die Japaner diese Piepser alle verschieden, und nur wir können sie nicht unterscheiden.»

«So wie wir ja die Japaner auch nicht unterscheiden können. Gerade vorher ist eine Asiatin aus der Garderobe gekommen, wo ich gewettet hätte, daß ich sie kenne.»

«Mir kommen sie auch immer bekannt vor. Wahrscheinlich können sie uns auch nicht unterscheiden. Womöglich klingen auch unsere Opern für sie alle gleich.»

«Was das betrifft, bin ich Japaner», hat der Brenner zugeben müssen.

«Aber sonst sind Sie eher ein Schlitzohr als ein Schlitzauge», hat die Witwe gelächelt. Sie sind zwar jetzt ziemlich weit von der nächsten Laterne entfernt gestanden, aber ihre Lippen waren so dunkel geschminkt, daß die Zähne sogar noch in der Finsternis aufgeblitzt sind.

«Wenn ich als Polizist zu einem Asiaten Schlitzauge gesagt hätte, hätte mir schon am nächsten Tag *amnesty international* die Daumenschrauben angesetzt.»

«Ich hab ja auch Schlitzohr zu Ihnen gesagt. Wie Sie das mit dem Alles für den Hugo herausgefunden haben», hat sie anerkennend gesagt und ist stehengeblieben. «Wenn das mein Vater wüßte!»

«Mich wundert, daß Sie das so amüsiert. Wenn man bedenkt, daß Ihr Vater deshalb nicht mehr mit Ihrem Mann geredet hat.»

Die Witwe hat gelacht, gelacht, gelacht. Sie ist immer schneller weitergegangen und hat immer mehr gelacht. Oder sagen wir einmal so, sie hat geweint.

Aber natürlich, wenn du am nächsten Tag Gäste erwartest, kannst du dir keine verheulten Augen leisten. Jetzt hat sich die Witwe sofort wieder beruhigt. Das ist ja bei den einfacheren Menschen oft das Problem, sie geben keine Empfänge, darum können sie wegen jedem Muh oder Mäh ein Leben lang beleidigt sein, Versöhnung ausgeschlossen. So etwas kann sich ein Geschäftsmann ja gar nicht leisten, der muß immer auf den Schilling Rücksicht nehmen.

Nur zur Erklärung, warum sich die Witwe zur Überraschung vom Brenner so schnell wieder unter Kontrolle gehabt hat, weil eben vollkommen anderes Milieu. Noch dazu ist sie ja fast aus einem Diplomatenhaushalt gekommen, weil ihr Vater nicht nur Generalimporteur und Festspielvize, sondern noch dazu Honorarkonsul von, von, von, irgendeine afrikanische Sache. Aber die benennen da unten ihre Länder ja alle zwei Monate um, und der Honorarkonsul oft das einzige Konstante, wo man sagt, das Land ist schon fünfmal ausradiert worden, und wenn sie nicht in Salzburg ihren Honorarkonsul mit der Originalurkunde hätten, dann überhaupt keine Identität mehr für den Negerstaat.

«Sie glauben doch nicht im Ernst, daß mein Vater wegen dieser lustigen Hugo-Geschichte so böse war. Deshalb war er höchstens kurz ein bißchen verschnupft.» Sie ist wieder weiter hinaufgegangen, aber nach ein paar Stufen schon wieder stehengeblieben: «Jemand hat die Adressenkartei kopiert und an die Festspiele in Baden-Baden verkauft.»

Jetzt mußt du wissen, Adressen sind in der heutigen Geschäftswelt das Um und Auf. Jeder ein Geheimniskrämer, der Angst hat, daß ihm wer einen Werbeprospekt in seinen Briefkasten schicken könnte. Weil je geheimer deine Adresse, um so mehr zählst du in dieser Welt. Und eine Veranstaltung wie Festspiele, wo du den Millionären das Gefühl gibst, daß sie ein bißchen unter sich sind, besteht praktisch nur aus den Adressen.

Das ist der größte Schatz, wer die besten Adressen hat, der hat die besten Festspiele, weil bei den Adressen hast du ja nicht nur die Postanschrift dabei, da hast du im Idealfall auch das Geburtsdatum, und das mußt du dir vorstellen wie beim Friseur, der schickt dir dann an deinem Geburtstag eine nette Geburtstagskarte oder gar eine kleine Probepackung, du freust dich darüber und gehst das nächste Jahr auch wieder zu diesem Friseur. Und gerade in dem Moment, wo du dir überlegst, ob du nicht den Friseur wechseln sollst, weil schon wieder ein paar Haare weniger und der Friseur ist schuld, kommt schon wieder die Geburtstagskarte, eine kleine Aufmerksamkeit, die dich bei der Stange hält.

Und seien wir uns ehrlich, wieso soll das bei den Festspielen anders sein, der Stammgast kriegt ebenfalls zum Geburtstag seine kleine Aufmerksamkeit, eine Karte, eine Mozartkugel, vielleicht eine kleine Probepackung mit der denkenden Creme für die Frau über dreißig, weil natürlich, der Unternehmer hat zwar eine Frau, die dreißig Jahre jünger ist als er, aber er wird älter, wird sie leider auch älter, dann ist er schon über sechzig, wird sie über dreißig, freut sie sich über die denkende Creme zum Geburtstag. Und so bleiben sie doch bei den Salzburger Festspielen, obwohl sie vielleicht schon im Rotary Club ein bißchen diskutiert haben, ob sie nicht eine andere

Stadt mit anderen Festspielen beehren sollen, daß man sagt, jetzt sind das die besten Festspiele.

Aber siehst du, das ist eben die Tradition, weil die neueren Festspiele haben nicht die über Generationen aufgebaute Adressenliste. Und wenn vielleicht Adressenliste, dann noch lange nicht die Geburtstagsliste, und wenn schon Geburtstagsliste, dann nicht mit den über Jahrzehnte gesammelten Geheiminformationen. Weil da fragt man bei den Hausvermietern ein bißchen herum, welche Creme verwendet diese Gattin, welches Rasierwasser der Herr Chef persönlich, da kommen im Lauf der Jahre Informationen zusammen, vielleicht ein bißchen das Telefon abhören, aber muß gar nicht sein.

Und oft einmal sind der Festspielpräsident und sein Vize persönlich gegangen und haben ein bißchen in den Mülltonnen gestochert, weil da kann man ja viel über die Vorlieben der Menschen erkennen, wenn man schaut, was wirft der weg, dann nimmst du die Hautcremeverpackung heraus, und schon wieder eine wertvolle Eintragung in der Adressenliste, nächstes Jahr wundert die Gattin sich, daß sie genau ihre richtige Creme kriegt, und dann sagt sie ihrem Schatz ins Hörrohr, weißt du was, nächstes Jahr fahren wir doch wieder nach Salzburg und nicht nach Baden-Baden, weil Österreicher immer nett, und die schicken genau die richtige Hautcreme, und er nickt, was willst du auch groß mitreden, wenn du dreißig, vierzig Jahre älter bist, da braucht dir das Mädchen gar keine Handschellen mehr anlegen, mußt du so oder so gehorchen.

Und das ist eben doch die Belohnung für eine große Karriere, Konzernherr oder politischer Führer, weil bekannte Tatsache, wer gern befiehlt, gehorcht auch gern, und da muß der ehemalige Weltenherrscher Jahr für Jahr nach Salzburg pilgern, nur weil sein Mädchen so gern Probepackungen sammelt.

Jetzt natürlich Katastrophe, daß jemand die Adressenliste im Computer kopiert und sie ausgerechnet an das neureiche deutsche Festival in Baden-Baden verkauft hat, sprich Hochverrat.

«Er hat es zwar bis zuletzt bestritten», hat die Tochter vom Festspielvize nachdenklich den Kopf geschüttelt, «aber ich glaube auch, daß er es gewesen ist. Er hat ja im Haus meines Vaters leicht Zugang zu den Adressen gehabt. Und so eine Aktion war typisch für ihn. Wissen Sie, darum hab ich vorher losgeheult. Er hat so ein lustiger Mensch sein können, daran hat mich diese Blödheit mit dem Alles für den Hugo erinnert. Das hab ich an ihm geliebt. Aber dann hat er wieder so einen Wahnsinn gemacht wie das mit den Adressen. Er war einfach –»

Dem Brenner ist vorgekommen, als hätte sie der Schlag getroffen, so hat sie eine Ewigkeit lang vor sich hin gestarrt. Aber sie hat nur nach dem richtigen Wort gesucht.

«– beschädigt.»

«Beschädigt», hat der Brenner wiederholt. So wie sie das gesagt hat, hat man gleich alles gewußt. Sie hätte es gar nicht mehr erzählen müssen. Daß ihre Ehe im Grunde genommen gar nie eine richtige Ehe war. Weil ihr Mann so beschädigt war. Daß sie ihn schließlich zum Dr. Prader geschickt hat.

«Der Dr. Prader hat zwar keine Lizenz mehr. Seit damals seine Patientin gleich nach der Therapiesitzung vom Berg gehüpft ist. Aber er war Gottliebs einziger Freund, und zu einem anderen Therapeuten wäre mein Mann sowieso nicht gegangen. Wer weiß, ob er sich bei einem richtigen Therapeuten überhaupt jemals erinnert hätte.»

«An den Hygieneunterricht im Marianum», hat der Brenner gesagt.

«Hygieneunterricht», hat die Witwe gelächelt. Aber jetzt ganz ein fremdes Lächeln. «Als Kind habe ich immer Hygiene und Hyäne verwechselt.» Ungefähr so ein Lächeln, wie manche Leichen mit dem Gesicht noch lächeln, während ihre anderen Körperteile schon von den Hyänen verspeist werden.

«Und haben ihm die Erinnerungen geholfen?»

«Im Gegenteil, er ist immer manischer geworden. Er hat ja im bischöflichen Archiv als Restaurateur gearbeitet. Aber zuletzt, als bekannt wurde, daß der Schorn Bischof werden soll, hat er nur noch nach irgendwelchen Beweisen gesucht.»

«Und was hat er gefunden?»

«Mein Mann hat eine Karteikarte der katholischen Heiratsagentur Dr. Phil. Guth gefunden, auf der ein Name verzeichnet war, den er kannte. Ein Küchenmädchen aus dem Marianum, das während seiner Schulzeit über Nacht aus dem Marianum verschwunden ist.»

«Offenbar hat sie geheiratet.»

«Laut Karteikarte war sie damals erst fünfzehn Jahre alt. Außerdem hat es nur einen einzigen Eintrag auf der Karte gegeben: Petting.»

«Petting!» hat der Brenner ausgerufen. «Dieses Wort hab ich ja schon seit dreißig Jahren nicht mehr gehört. Petting und Party, wissen Sie, wo ich diese zwei Wörter gelernt habe?»

«Im *Bravo*.»

«Genau. Und das machen die Leute heutzutage immer noch?»

«Der Eintrag ist ja von damals. Aber zumindest Party machen die Leute heute immer noch. Wir geben zum Beispiel morgen eine große Wohltätigkeitsparty. Es würde mich freuen, wenn Sie kommen könnten. Aber Sie müssen mir versprechen, daß Sie meinen Vater nicht auf die Adressen anreden.»

«Versprochen», hat der Brenner gesagt. Weil manchmal mußt du als Detektiv ein bißchen was versprechen, das du nicht halten kannst.

Wie er allein den Berg hinuntergetrottet ist, hat er ein bißchen vor sich hin gepfiffen. War eine alte Gewohnheit von ihm, die ewige Pfeiferei. Oft hat er eine Melodie tagelang nicht mehr aus dem Kopf gekriegt. Und interessant, wenn er sich dann überlegt hat, was er da eigentlich die ganze Zeit pfeift, hat der Text oft genau gepaßt, praktisch unbewußter Kommentar zu seiner jeweiligen Situation. So manchen Fall hätte er sogar schon viel früher gelöst, wenn er rechtzeitig darauf geachtet hätte, was ihm sein Unbewußtes da eigentlich zwitschert.

Auf seinem Heimweg hat er jetzt natürlich nicht weiter auf sein Gepfeife geachtet, weil ist normal, daß der Mensch ein bißchen pfeift, wenn er mitten in der Nacht allein durch den Wald geht. Und es waren momentan ganz andere Wörter, die ihn beschäftigt haben: Petting und Party.

Weil er hat sich jetzt richtig ein bißchen auf die Party gefreut. Oder sagen wir einmal so. Am nächsten Tag zuerst einmal ausgiebig Petting. Und Party dann noch einmal ganz ein anderes Kapitel.

6

Jetzt Petting. Das Gespräch mit der Witwe hat dem Brenner die ganze Nacht keine Ruhe gelassen, und er ist erst
gegen Morgen eingeschlafen. Darum ist er dann erst um
halb zwölf aufgewacht und hat sich in der ärgsten Mittagshitze auf den Weg zum Kapitelplatz gemacht.

«Eheberatung Dr. Phil. Guth» ist auf der Messingtafel
gestanden. Der Brenner hat zwar von der Witwe gehört,
daß der alte Dr. Guth nicht mehr persönlich das Büro lei-
tet. Aber kommt ja oft vor, daß ein Geschäft den Namen
des Gründers behält, auch wenn es schon dreimal verkauft worden ist, und da sagt vielleicht die japanische
Bank, wißt ihr was, Traditionstrachten Toyota klingt
nicht gut, bleiben wir beim alten Namen, damit das Gefühl nicht verletzt wird.

Die Lage des Ehebüros Dr. Phil. Guth war eins a, praktisch gegenüber vom Dom. Alle anderen Büros im Haus
ebenfalls kirchliche Institutionen. Da hat einmal eine alte
Witwe gewohnt, keine Kinder, dann natürlich ein bißchen die Angst, daß es doch etwas geben könnte, praktisch Jenseits, und ein Leben lang den armen Schluckern
das Geld aus der Tasche gezogen, hat sie das Haus eben
der Kirche vermacht. Du darfst nicht vergessen, die
Kirche hat da ihre eigens ausgebildeten Spezialkräfte,
die nehmen den alten Leuten die Beichte ab und sonst
auch alles, weil Sprichwort, das letzte Hemd hat keine
Taschen.

Darum gehört praktisch die ganze Altstadt der Kirche, Kapitelplatz alles Kirche, Residenzplatz alles Kirche, Domplatz alles Kirche, Kaigasse alles Kirche und, und, und. Insofern hat es gar nichts mit dem Eigentum in dem Sinn zu tun gehabt, daß das katholische Ehebüro so nahe am Dom war, weil weiter entfernt vom Dom ja ebenfalls alles Kirche.

Ich persönlich finde das gar nicht so schlecht, weil in privaten Händen wird alles früher oder später zu einer Schießbude, zu einem Ringelspiel, zu einer Disco oder meinetwegen Hamburgerstand. Und die Kirche doch behutsamer, das merkst du sofort, wenn du durch Salzburg spazierst, da darfst du nicht erschrecken und glauben, daß du tot bist, sondern das ist Wirklichkeit. Da kriegst du so ein Gefühl da hinten im Genick, Mittelalter, mein lieber Schwan, das kann man sich noch richtig vorstellen, die engen Gassen, die kleinen Fenster, die Pflastersteine, also schon eine gewisse geschichtliche dings.

Aber das Erhebende gilt nur, wenn man durch die Gassen geht. Wenn du dann ein Haus betrittst, da geht es einem leicht so, wie es dem Brenner jetzt gegangen ist. Quasi außen das Erhebende, innen das Bedrückende. Weil das ist ein Schweigen und eine Reinlichkeit auf den Gängen gewesen, da hat es ihm, muß ich ganz ehrlich sagen, schon ein bißchen das Hemd hinten hineingezogen.

Erster Stock katholische Jungschar, zweiter Stock katholische Jugend, dritter Stock katholische Eheberatung. Gott sei Dank hat das mittelalterliche Gebäude am Kapitelplatz nur drei Stockwerke gehabt, weil nach Jungschar, Jugend und Eheberatung sonst womöglich vierter Stock wieder mehr der Abwärtstrend, sprich katholische Begräbnis- und Selbstmörderpartie. Aber man soll nicht immer das Negative betonen, und das Haus hat eben keinen vierten Stock gehabt und aus.

Und Lift hat das Haus natürlich auch keinen gehabt, weil Denkmalschutz, da hat der Papst gesagt, wir können den Leuten nicht alles verbieten, den Empfängnisschutz oder meinetwegen AIDS-Schutz verbieten wir ihnen, aber da muß man diplomatisch sein, und Denkmalschutz lassen wir ihnen wieder. Jetzt alte Geschichte, wenn dir nicht viel erlaubt ist, freust du dich über das wenige um so mehr, jetzt haben die Denkmäler in Salzburg nur so geglüht vor lauter Schutz.

Im dritten Stock, direkt an der Eingangstür zum Büro Dr. Phil. Guth, ist wieder die polierte Messingtafel gehängt, aber auf der Tafel ist dann ein winzig kleiner gelber Zettel geklebt mit der handschriftlichen Mitteilung: «Bitte läuten!»

«Jaja, nur mit der Ruhe», hat der Brenner geschnauft und zuerst einmal gewartet, bis er nicht mehr so außer Atem war. Das ewige Läuten in dieser Stadt hat ihn schon richtig ein bißchen aggressiv gemacht. Die ewige Internatsklingel, die Festspielhausklingel, die zehntausend verschiedenen Kirchenglocken, das war ein dauerndes Dingeling zum Aus-der-Haut-Fahren. Weil wenn du auf so etwas einmal achtest, dann fällt es dir auf Schritt und Tritt auf.

Aber dann gleich zwei positive Überraschungen. Die Klingel ein sehr dezentes Dingdong, und zwar genau das gleiche Dingdong, wo der Brenner einmal vor Jahren eine Bekanntschaft gehabt hat. Eine ausgesprochen nette Sekretärin, ist aber leider nicht lange gegangen, ich glaube, gescheitert ist es letztlich daran, daß ihr Hund so wahnsinnig eifersüchtig war.

Aber trotz Dingdong hat der Brenner sich jetzt keinen falschen Hoffnungen hingegeben. Wie er drinnen Schritte gehört hat, sofort Bild vor Augen, daß ihm eine Art Fräulein Schuh aufmachen wird. Lodenkostüm, Brille, Haare zurückgefesselt, daß die Wurzeln jaulen, und eine weiße Bluse, so steif, daß du damit ein Kalb erschlagen kannst.

Und dann natürlich, heiliger Strohsack! Mein lieber Schwan! Die zweite positive Überraschung nach der dezenten Klingel war überhaupt nicht dezent. Laß es mich so ausdrücken. Wenn da wo ein Kalb erschlagen worden ist, dann war der Brenner das Kalb. Und es war nicht die weiße Bluse, die ihn erschlagen hat. Sondern, wie soll ich sagen. Der Inhalt.

«Guten Morgen», hat der Brenner gesagt, laut und deutlich, und er hat sich nicht davon einschüchtern lassen, daß seine Stimme in den weiten Gängen so ein gewaltiges Echo gehabt hat. «Ich würde Sie gern heiraten.»

Das hat alles nur noch schlimmer gemacht. Weil jetzt hat sie auch noch sauer den Mund verzogen. Und ein normaler Mensch wird durch ein Lächeln schöner, und durch saures Mundverziehen wird er häßlich. Aber dann gibt es diese Menschen, zwei oder drei auf der ganzen Welt, ganz genau weiß man es nicht, so wie man nie ganz genau weiß, wie viele Menschen über hundertvierzig Jahre alt sind. Die sind so schön, daß sie vom Mundverziehen nur noch schöner werden.

«Es ist dreizehn Uhr», hat sie geantwortet. Das hat alles nur noch schlimmer gemacht. Unglaublich, was so eine Feststellung bei einem Mann anrichten kann. Oder sagen wir einmal so. Es war weniger die Feststellung, und es war mehr die Stimme.

Du darfst nicht vergessen, daß der Großvater vom Brenner Schreiner gewesen ist. Der hat mehr als zwanzig Sorten Schleifpapier in der Werkstatt gehabt. Das gröbste Schleifpapier, das war fast kein Papier mehr, das waren schon die reinsten Glasscherben, und dann das ein bißchen weniger grobe und dann das sehr grobe und das mittelgrobe und das mittelfeine und das ein bißchen feinere und das schon ziemlich feine und das ganz feine. Und dann hat es ein Schleifpapier gegeben, das war so fein, daß es im Grunde genommen schon ein ganz glattes Papier war, da hat man die Vorderseite und die Rückseite praktisch nicht mehr unterscheiden können. Und ob du es glaubst oder nicht, an diesem Schleifpapier hat man sich am leichtesten verletzt.

Als Kind hat der Brenner dieses Schleifpapier oft in die Hand genommen und stundenlang darübergestrichen, das war so ein ärgerliches Gefühl, wo ist jetzt die glatte und wo die rauhe Seite, und der Brenner hätte die Eheberaterin mit dem verzogenen Mund gern gefragt, ob sie sich ihre Stimmbänder aus diesem Schleifpapier machen hat lassen.

«Sperren Sie um eins schon zu?» hat er statt dessen gefragt, weil natürlich, man soll nicht aufdringlich sein.

Sie hat den Kopf geschüttelt. Das hat alles nur noch schlimmer gemacht. Das mußt du dir vorstellen wie bei einem Waldbrand, zuerst brennt nur der Wald, und ein Hauch von einem Wind, und schon steht der ganze Erdteil in Flammen. So ist ihr beim Kopfschütteln die rote Mähne über die Schulter geschwommen, ich muß ganz ehrlich sagen, manchmal ist man als Mann schon im Vorteil, wenn man blind und taub ist.

«Nein», hat das Schleifpapier geraschelt, «aber man sagt nicht mehr guten Morgen um dreizehn Uhr.»

«Ah», hat der Brenner gesagt. Eigentlich hätte er ihr gern erklärt, daß ihre Schlafaugen schuld daran waren. Und ich muß auch sagen, sie hat ihre Augenlider so verschlafen gehoben, daß man Angst gekriegt hat, es wird schon wieder Abend, bevor sie mit dem morgendlichen Augenaufschlagen fertig ist.

«Ah», hat der Brenner gesagt. Das hat fast ein bißchen geklungen, als hätte ihm eine sechzigjährige Kampfgouvernante hinterrücks mit ihrer steifen Bluse eine über den Schädel gezogen. «Wegen dem guten Morgen schütteln Sie den Kopf. Und ich hab schon gefürchtet, Sie wollen mich nicht heiraten.»

«Wenn Sie heiraten möchten, sind Sie bei uns im Prinzip schon richtig. Kommen Sie doch einmal herein.»

Drinnen dann der Brenner natürlich sofort auf verlorenem Posten. Ich weiß nicht, das ist eine eigene Atmosphäre in solchen Büros, von der ganzen dings her, Möbel, Bilder, ich weiß nicht, was es ist, ich weiß nur, daß du binnen Sekunden nicht mehr weißt, ob du Mann oder Frau bist.

Dann natürlich sofort Fragebogen, Name, Alter, Beruf, Familienstand, Religion, alles.

«Herr Irrsiegler», hat der Waldbrand nach dem eingehenden Studium des frisch ausgefüllten Fragebogens stirnrunzelnd gesagt, «Sie sind also Schreiner.»

Der Brenner hat genickt.

«Interessant. Selbständig oder angestellt?»

«Selbständig.»

«Interessant. Ein seltener Beruf.»

«Ja, im Aussterben. Aber unser Herr Jesus war auch Schreiner.»

«Zimmermann.»

«Das ist so ähnlich. Nur, der Schreiner verwendet das feinere Schmirgelpapier.»

«Interessant. Und Sie waren noch nie verheiratet?»

«Nein. Einmal verlobt, aber nur zwei Wochen.»

«Interessant.»

Das war das erste, was sie nicht mitgeschrieben hat, und dabei war es das einzig Wahre, was ihr der Brenner bisher erzählt hat. Aber so ist es oft, wenn man mit dem Lügen gut in Fahrt ist, daß die wahren Einsprengsel auf einmal unglaubwürdig klingen.

«Wie sind Sie auf unser Institut gekommen?»

«Ich bin sehr schüchtern.»

«Interessant», hat der Waldbrand gesagt, ohne vom Notizzettel aufzublicken.

«Und in meinem Alter wird es Zeit. Aber ich möchte eine katholische Familie gründen. Und heutzutage ist es sehr schwer, noch eine brave Frau zu finden, die das auch will.»

«Interessant», hat der Waldbrand gesagt.

Der Brenner hat zugeschaut, wie sie umständlich ihre Notizen beendet und schließlich im Schreibtisch verstaut hat. «Können Sie um siebzehn Uhr kommen?» hat sie gefragt. Und wie sie das Zögern vom Brenner bemerkt hat: «Oder müssen Sie da schreinern?»

«Ich habe geglaubt, ich krieg vielleicht einen Katalog. Wo ich nachschauen kann, ob was Passendes dabei ist.»

Wirklich unglaublich, daß man solche Lippen so schmal machen kann. Wie er «Katalog» gesagt hat, ist ihr Mund einfach verschwunden. Fräulein Schuh nichts dagegen. Der Mund muß aber noch irgendwo gewesen sein, weil gesprochen hat er noch: «Und ich dachte, Sie suchen ein seriöses Institut.»

«Aber was können Sie mir am Abend sagen, was Sie mir nicht auch jetzt sagen können?»

Sie ist aufgestanden und hat dem Herrn Irrsiegler die Tür aufgemacht: «Beratungsgespräche führt nur unser Herr Direktor persönlich. Und er kommt erst um siebzehn Uhr, weil er bis dahin Verpflichtungen hat.»

«Der Doktor Guth persönlich?»

«Der Herr Doktor Guth ist bereits verstorben.»

«Um siebzehn Uhr auch noch?»

«Das Institut wird schon seit Jahren vom Herrn Präfekt Fitz geleitet.»

«Interessant», hat der Brenner zum Abschied gesagt.

Mehr ist ihm auch noch nicht eingefallen, wie er schon wieder in der sengenden Hitze auf dem Kapitelplatz gestanden ist. Weil natürlich große Frage, was er jetzt machen soll. Der Sportpräfekt Fitz hätte schön geschaut, wenn er um fünf bei ihm unter falschem Namen aufgetaucht wäre.

Jetzt ist der Brenner in der Mittagshitze wieder einmal die Festspielstiege hinauf, weil Hoffnung, daß der Gottlieb vielleicht dem Dr. Prader etwas über das Küchenmädchen erzählt hat, das vor achtundzwanzig Jahren vor lauter Petting über Nacht aus dem Marianum verschwunden ist. Aber unglaublich, daß es so was geben kann bei einem fast fünfzigjährigen Mann. Bei dem Gespräch mit dem Waldbrand hat sein Körper derartig viel Energiesubstanz ausgeschüttet, daß ihn alle Muskeln regelrecht gebrannt haben. Oder nicht direkt die Muskeln. Sagen wir einmal so, angefühlt hat es sich, als hätte er sich am Waldbrand seine Eier angezündet.

Aber Stiege in dem Fall schlechte Therapie, weil jeder Schritt Höllenqual, und wie der Brenner dann endlich oben war, hat er sich schnaufend auf die Steinbrüstung gelehnt und den senkrechten Felsen in den Toscanini-Hof hinuntergeblickt, und ich glaube fast, daß ihm da ein bißchen durch den Kopf gegangen ist, wie leicht er jetzt mit einem Sprung diese Schmerzen ein für allemal loswerden könnte. Hätte natürlich dann nie jemand erraten, warum er gehüpft ist, und womöglich die Hinterbliebenen tausend Gedanken in jede Richtung, nur nicht, daß einer es vor lauter Geilheit nicht mehr ausgehalten hat auf dieser Welt.

Aber wie der Brenner dann langsam zu Atem gekommen ist, Vernunft wieder im Vordergrund. Ihm ist aufgefallen, daß sein Hemd vollkommen durchgeschwitzt war, und er hat sich gefragt, ob er so überhaupt beim Dr. Prader klingeln kann. Dieses Problem hat sich dann aber ganz von selber gelöst. Weil die Prader-Villa hat gar keine Klingel gehabt. Letztes Mal ist das dem Brenner nicht aufgefallen, weil der Dr. Prader ihn schon am Gartentor erwartet hat. Aber jetzt: keine Klingel weit und breit.

Jetzt, falls du einmal mit der besseren Gesellschaft in Kontakt kommst, gebe ich dir einen guten Rat. Such nicht nach einer Klingel, schau lieber, ob du mitten auf der Tür einen Löwen findest, der einen Ring im Maul hält, weil der ist zum Anklopfen da. Nach einer gewissen Zeit hat es der Brenner auch begriffen, zweimal geklopft, und schon ist die Tür aufgegangen.

Aber es war nicht der Dr. Prader, der ihm die Tür aufgemacht hat. Und es war auch nicht die Frau Dr. Prader und auch keines der vier Kinder. Ein älterer Herr mit schlohweißen Haaren und schwarzen Augenbrauen ist dagestanden. Und rund um den Mund hat er einen weißen Bart gehabt, quasi James-Last-Bart, aber eben weiß und würdig und nicht rotblond und ekelerregend.

Das muß der Butler vom Botschafter sein, der jeden Sommer die Prader-Villa mietet, hat der Brenner sich gedacht, wie der steife Kerl vor ihm gestanden ist. Dabei war es natürlich der Botschafter selber. Weil das gibt es ja immer wieder bei den oberen Zehntausend, daß sie vor Neid auf ihre Dienstboten nicht mehr schlafen können. Und kaum daß sich die Gelegenheit bietet, macht sich heute ein Bankdirektor schon die Hände schmutzig, aber nicht Drogengeld, sondern das eigene Auto reparieren. Der Herr Aufsichtsrat muß unbedingt selber mit viel Lärm einen Baum umschneiden, der Herr Primar will endlich einmal persönlich das Erbrochene von seiner alkoholkranken Frau wegputzen, praktisch das Leben wieder ganz spüren.

Und der Botschafter ist im Lauf seiner Karriere schon fast überall auf der Welt im Einsatz gewesen, die Prag-Jahre, die Athen-Jahre, dann wunderbar Johannesburg, und jetzt zum Abschluß sogar noch das Exotische, sprich Manila. Aber im Innersten seines Herzens eben immer ein bescheidener Mensch geblieben, und Traum: Einmal im Leben mit eigenen Händen einem wildfremden Menschen die Tür aufhalten.

«Der Dr. Prader ist wohl nicht zu Hause.» Der Brenner hat einen Schritt zurück gemacht, quasi zur Begrüßung gleich Abschiedsworte.

Ich muß ehrlich sagen, da wird sich der österreichische Botschafter auf den Philippinen seinen Teil gedacht haben über dieses Benehmen. Die Diplomaten sind ja immer sehr gut mit den Umgangsformen, da gibt es eine eigene Akademie, wo nur der den Diplomaten-Abschluß kriegt, der sich alle Umgangsformen merken kann. Nur damit du verstehst, warum der Botschafter jetzt so elegant reagiert hat. Wie der dem Brenner mit einer einladenden Handbewegung gedeutet hat, daß der Dr. Prader hinten im Garten sitzt, das hättest du sehen sollen. Ohne Herablassung oder ding, einfach mit einer einzigen Handbewegung ausdrücken: Schau, da im Garten sitzt er ja, komm herein. Da ist heute schon ein diplomatischer Feinschliff erreicht, wo ich sagen muß, kein Wunder, daß es keine Weltkriege mehr gibt.

Im Garten dann aber Kontrastprogramm, frage nicht. Wie der Brenner um die Ecke gekommen ist, hat der Dr. Prader ihn von seinem Liegestuhl aus gleich gesehen und ihm freundlich zugewinkt. Das war durchaus noch ordentliches Benehmen. Aber der zweite Liegestuhl ist mit dem Rücken zum Brenner gestanden, und ob du es glaubst oder nicht, bevor der Brenner den Menschen noch gesehen hat, hat er schon gewußt, kein Diplomat. Weil der ist so wunderbar bequem in seinem Liegestuhl gelegen, daß seine nackten Unterarme hinter dem Liegestuhl hinuntergebaumelt sind. Darum hat der Brenner schon die tätowierten Inschriften lesen können, bevor er den Menschen überhaupt zu Gesicht bekommen hat.

Bei Tätowierungen muß man natürlich unterscheiden, weil heute läßt sich ja schon jede Gutsbesitzerin, die vor Neid auf die zehnfach vorbestrafte Tochter ihrer Putzfrau nicht schlafen kann, ein bißchen ein Ornament auf ihren makellosen Plastikkörper tätowieren. Aber eine echte Gefängnis-Tätowierung hat der Brenner natürlich auf den ersten Blick erkannt. «Mariechen Schaumburg» ist so groß in ungelenken Buchstaben auf dem linken Unterarm gestanden, daß man es wahrscheinlich noch vom Kapuzinerberg herüber lesen hätte können. Die Zeichnungen dazu will ich lieber nicht beschreiben, weil nicht vollkommen jugendfrei.

Vielleicht ist es immer noch an der körperlichen Ausschüttung im Heiratsinstitut gelegen, daß der Brenner jetzt derart schnell kombiniert hat. Sprich, der Dr. Prader Bewährungshelfer, und das muß also einer von seinen Pappenheimern sein.

Aber wie er dann mehr von dem Burschen im Liegestuhl gesehen hat, war das irgendwie doch kein ganz astreiner Gefängnisbruder. Ja und nein, hat der Brenner gedacht, während er dem Dr. Prader die Hand geschüttelt und den Burschen gemustert hat. Ja, weil der schon vom Begrüßungslächeln weg um einen halben Schneidezahn im Rückstand war. Und nein, weil er trotzdem eine recht sympathische Ausstrahlung gehabt hat, nicht einen hinterfotzigen Knastgrinser, sondern die Zahnlücke hat in seinem feinen Gesicht fast ein bißchen kindlich gewirkt.

Der Dr. Prader hat dem Brenner einen dritten Liegestuhl aufgestellt und ihm ein Mineralwasser eingeschenkt. «Vielleicht haben Sie eine Idee», hat er ihn

gleich in die Diskussion einbezogen, ohne seinen Schützling lang vorzustellen. «Wir suchen eine Arbeit für den
René.»

«Hast du im Bau was gelernt?» Weil bei solchen Typen
nicht lange mit der Höflichkeit fackeln, da hat der Brenner natürlich schon ein bißchen Erfahrung gehabt. Und
unter uns gesagt, ich glaube, er hat es auch ein bißchen
gebraucht, daß er dem Burschen zeigt, ich fürchte mich
nicht vor dir. Weil der René Oberarme wie eine Japanerin. Aber natürlich nicht wie die Oberarme von einer
Japanerin, sondern wie eine ganze Japanerin, ungefähr
diese Oberarmdicke.

«Er hat eine Schlosserlehre gemacht», hat der Dr. Prader für seinen Schützling geantwortet.

«Im Bau eine Schlosserlehre?»

Der René hat mit seinem halben Zahn gegrinst:
«Sicher.»

«Staatlicher Intensivkurs für die weitere Einbrecher-
karriere», hat der Brenner gebrummt. Der Dr. Prader hat
schon ein bißchen besorgt geschaut, daß sein Schützling
so behandelt wird. Weil sonst natürlich nur Verständnis
im Hause Dr. Prader für den René, und wenn der Botschafter ihm über den Weg gelaufen ist, sogar immer
diplomatische Höflichkeitsform: «Herr René»!

Aber dem René selber hat das gar nichts ausgemacht.
«Ich bin ja nicht für Einbruch gesessen», hat er behauptet
und sich dabei die Hand vor die Augen gehalten, weil ihn
die Sonne so geblendet hat.

«Sondern?»

«Für Ausbruch!» hat der René gelacht.

Das mußt du dir einmal vorstellen. In der nobelsten

Salzburger Villa, wo sich normalerweise Opernsänger und Präsidenten die Klinke in die Hand geben, lungert dieser Gefängnisbruder im Liegestuhl und erzählt solche Geschichten, und alles nur, weil der Dr. Prader unbedingt ein guter Mensch sein muß.

«Ursprünglich ist er wegen einer geringfügigen Sache nur für zwei Monate in die Jugendstrafanstalt gekommen», hat der Dr. Prader die Stirn gerunzelt. «Aber dort haben sie ihn so drangsaliert, daß er nach vier Wochen davongelaufen ist.»

«So sind aus zwei Monaten zwei Jahre geworden», hat der René gelacht, als wäre es gar nicht sein Leben, über das hier geredet wird.

«Und wie bist du damals hinausgekommen?» hat der Brenner wissen wollen.

«Ich hab so eine Baseballkappe aufgehabt. Diese Kappen mit einem Schild vorn dran.»

«Ich weiß, was eine Baseballkappe ist.» Ehrlich gesagt hat es der Brenner noch gar nicht so lange gewußt, aber jetzt um so informierter getan.

«Die hab ich mir beim Hinausgehen verkehrt aufgesetzt, mit dem Schild hinten. Jetzt haben die Wärter geglaubt, daß ich hineingehe statt hinaus.»

Der Brenner hat sich nicht gerade auf die Zunge beißen müssen, damit er über diese Blödheit nicht lacht. «Schild hinten, das ist ja heute sowieso Mode.»

«Eben. Darum haben sie mich erwischt.»

«Und dafür kriegt man heute zwei Jahre? Nur weil man gegen die Mode verstößt?»

Der Dr. Prader hat sich stirnrunzelnd eingemischt: «Die Tochter vom Gefängnisdirektor hättest du vielleicht nicht mitnehmen sollen bei deinem Spaziergang. Dann hättest du nicht zwei Jahre dafür absitzen müssen.»

«Ach die», hat der René abgewunken. «Die hat doch mich entführt. Bin vielleicht ich auf die Idee gekommen, daß sie ihr scheiß Schulreferat über jugendliche Straftäter schreiben soll?»

Während der René das gesagt hat, hat der Brenner einen strengen Blick vom Dr. Prader geerntet. Weil natürlich, als Bewährungshelfer mußt du immer aufpassen, daß dein Schützling nicht noch Applaus für sein Verbrechen bekommt.

«Mit der häßlichen Tochter vom Gefängnisdirektor bist du durchgebrannt?» hat der Brenner gefragt, quasi damit man meine heimliche Bewunderung nicht merkt: häßlich!

«Sie ist mit mir durchgebrannt!»

Jetzt der Dr. Prader wieder seinen ernsten Marathonläuferblick: «Leider war sie erst dreizehn Jahre alt.»

«Sie war vierzehn und ich siebzehn.»

«Sie war eben gerade noch nicht vierzehn», hat der Dr. Prader kleinlich vorgerechnet. «Das macht leider vor dem Gesetz einen Riesenunterschied.»

«Aber sie hat ausgesehen wie vierzehn, und sie hat gesagt, sie ist vierzehn, und sie –»

«Jaja. Und du warst schon über achtzehn, und statt nach dem zweistündigen Ausflug mit ihr ins Jugendgefängnis zurückzukehren, bist du eine Woche lang mit ihr in einem Schrebergartenhaus verschwunden.»

«Ich tu's eh nicht mehr.»

«Haben ihr deine Muskeln so imponiert?»

«Nichts Muskeln!» hat der René mit der Hand auf den

Brenner gedeutet, mit der er sich sonst die Sonne aus den Augen gehalten hat. «Ich war damals dünner als das Mädchen. Die war nämlich ein bißchen pummelig. Darum hat sie ja älter gewirkt. Ich hab erst dann mit dem Training angefangen. Damit ich die zwei Jahre irgendwie –»

«– herunterbiege», hat der Brenner gebrummt.

«Genau!» Der René hat seinen Bizeps ein bißchen angespannt, daß das Mariechen Schaumburg nur so pulsiert hat.

«War sie das?» hat der Brenner auf die Tätowierung gedeutet.

«Sicher. Das hat ihrem Vater nicht geschmeckt, daß er das zwei Jahre lang lesen hat müssen.»

Der Brenner hat sich gut vorstellen können, daß der René die Wahrheit gesagt hat über den Ausflug mit der referatschreibenden Tochter vom Gefängnisdirektor. Daß womöglich sie ihn entführt hat. Weil der René hat ein bißchen so ausgesehen, wie es heute anscheinend modern ist. Keine Haare auf dem Kopf, aber dafür so ein Bärtchen, fast wie der Botschafter, aber nur ganz dünn. Was soll ich sagen, heute gefällt das den jungen Leuten eben wieder, weil sie den James Last schon gar nicht mehr gekannt haben. Und seine blauen Augen und sein frech grinsender Mund werden ihr auch zugesagt haben.

Ich sage, wenn du heute als behütete Tagebuch-Gymnasiastin mit einem echten Gefängnisbruder zusammenkommst, kann es schon einmal vorkommen, daß die Hormone ein bißchen Granada spielen.

«Wie auch immer», hat der Dr. Prader versucht, dem Gespräch eine andere Wendung zu geben. Weil leider unübersehbar, daß der freche Kerl mit seinem sonnigen Wesen sogar den Brenner ein bißchen um den Finger gewickelt hat. «Vielleicht könnten Sie sich sogar einmal im Marianum umhören», hat er sich an den Brenner gewandt, «ob sie einen tüchtigen Arbeiter brauchen können.»

«Da sind ja jetzt gerade Ferien», hat der Brenner gesagt, obwohl er genau gewußt hat, daß die Handwerker dort gerade in den Ferien auf Hochtouren gearbeitet haben. «Die haben sogar die Philippinen-Mädchen von der Putztruppe über den Sommer heimgeschickt.» Das hat der Brenner aber nur so betont, weil er seine eigenen Pläne mit dem René gehabt hat. «Ich kenne zufällig das Fräulein Schuh im Festspielhaus. Die stellt die Saaldiener und Bühnenarbeiter ein.»

«Das wäre wunderbar», hat der Bewährungshelfer für seine Verhältnisse richtig begeistert ausgerufen.

Ein bißchen unbehaglich war es dem Brenner schon, daß er dem sympathischen Mann so kalt ins Gesicht gelogen hat. Darum hat er es dann auf einmal so eilig gehabt. Er hat dem René vorgeschlagen, daß er gleich mit ihm hinuntergehen soll, weil zufällig heute um siebzehn Uhr einen Termin beim Fräulein Schuh. Und außerdem die schnellen Entscheidungen sowieso immer die besten. Also das sag jetzt ich so, und sinngemäß hat es der Brenner bestimmt auch so gemeint, aber gesagt hat er: «Fragen wir lieber gleich heute im Personalbüro, bevor in Böhmen ein Viertel eingeht.»

Der René hat ihn groß angeschaut.

«Ist was?»

«In Böhmen ein Viertel!» hat der René gesagt, ganz

ohne Grinsen, praktisch sentimentaler Anfall. «Das hat mein Großvater auch immer zu mir gesagt: Bevor du etwas erledigst, geht in Böhmen ein Viertel ein! Ich hab mich immer gefragt, was das überhaupt heißen soll.»

«Du hast dich gefragt, wo überhaupt Böhmen ist», hat der Brenner ein bißchen grob getan. Weil er hat nicht zugeben wollen, daß sein Großvater das auch immer zu ihm gesagt hat: Da geht ja in Böhmen ein Viertel ein, bis du mit der Arbeit fertig bist.

Und ich muß auch sagen, so flink wie in dieser Situation ist der Brenner noch nicht oft in seinem Leben gewesen. Kaum daß sie außer Hörweite von der Prader-Villa waren, hat er dem René schon das Angebot gemacht.

Der René natürlich gleich von der Idee begeistert, für einen Detektiv zu arbeiten. Und da hat der Brenner zum erstenmal das Gefühl gehabt, daß er jetzt auf einem soliden Weg ist. Im nachhinein muß man sagen, auf einem soliden Weg war er da höchstens in dem Sinn, daß er gerade wieder einmal über die Festspielstiege hinuntergegangen ist, und das ist wahrscheinlich der solideste Weg weltweit. Weil alles auf Fels gebaut und in Stein gemeißelt, das hält bestimmt tausend Jahre, und da geht vorher ganz Böhmen ein, bevor bei der Festspielstiege eine einzige Stufe schief wird. Aber das solide Gefühl vom Brenner ein bißchen auf Sand gebaut.

Zuerst Gefühl noch spitze. Er hat dem René soviel von der Sache erklärt, wie er unbedingt hat wissen müssen. Und er hat fast ein bißchen das Gefühl gehabt, daß der René schneller begreift, als der Brenner sich seine Erklärungen zurechtlegt. Weil du darfst eines nicht vergessen. Der René hat einmal beim Gefängnispsychiater einen Intelligenztest gemacht, und der Doktor hat den Test dreimal wiederholt, bis er es endlich geglaubt hat. Weil schon unglaublich, daß dieser hochintelligente Mensch es mit der dummen Tochter vom Gefängnisdirektor eine ganze Woche im Schrebergartenhaus ausgehalten hat, praktisch unmenschliche Haftverschärfung.

Jetzt hat der René natürlich auch sofort begriffen, warum der Brenner nicht mehr selber zur Eheberatung gehen kann. Das hätte ihm der Brenner gar nicht so umständlich des langen und des breiten erklären müssen. Nicht beleidigt sein, wenn ich es dir auch kurz erkläre, nur sicherheitshalber: Der Brenner hat sich ja in der Agentur Dr. Phil. Guth nur einschreiben lassen, um sich dort ein bißchen umzuschauen, sprich Petting und Küchenmädchen. Aber natürlich, wenn er dann dem Präfekt Fitz begegnet, bringt ihm der falsche Name auch nichts mehr.

«Sie wollen also, daß ich mich als Ehekandidat anmelde, mich tausendmal beraten lasse und mich nebenbei umschau, ob ich irgendwas über den Verbleib des Küchenmädchens herausfinde.»

Dem Brenner ist fast schwindlig geworden, wie der René das zusammengefaßt hat. «Das hätte ich jetzt selber nicht besser sagen können», hat er anerkennend gesagt. «Aber woher weißt du das mit dem Küchenmädchen?»

«Sie haben doch vorhin beim Hinausgehen den Dr. Prader gefragt, ob ihm der Gottlieb einmal was von einem Küchenmädchen erzählt hat.»

Dabei hat der Brenner geglaubt, er kann den René benützen, ohne daß der gleich alle Zusammenhänge versteht. Aber trotzdem. In dem Moment ist das Gefühl vom Brenner immer noch gut gewesen.

«Laß dich nur nicht von der Lady an der Rezeption verwirren!» hat er den René noch schnell gewarnt, wie sie schon über den Kapitelplatz marschiert sind. «An der mußt du vorbei, die geht uns nichts an. Ich sag dir, die hat Haare wie ein Waldbrand. Und Augen wie ein Sportwagen. Und eine Stimme wie Schleifpapier.»

«An der komm ich nicht vorbei», hat der René gelächelt.

«Das schaffst du schon», hat der Brenner gegrinst, praktisch Männer unter sich. Sie sind jetzt schon vor dem Eingang gestanden, schon zehn Minuten nach fünf, darum hat der Brenner es ein bißchen eilig gehabt.

Der René hat den Kopf geschüttelt. «Das schaffe ich aber nicht.»

«Schau sie dir zuerst einmal an, dann reden wir weiter.» Da ist das Gefühl vom Brenner immer noch gut gewesen.

«Ich weiß, wie sie aussieht.»

«Kennst du sie?»

«Wenn Sie mir den Namen der Agentur gesagt hätten», hat der René ein bißchen verlegen aus seinem halben Schneidezahn heraus gesagt und auf das in der Sonne glänzende Firmenschild gedeutet.

«Was wäre dann gewesen?»

«Dann hätte ich es Ihnen schon vorher sagen können.» Der Bursche hat auf einmal herumgedruckst, wie es sonst gar nicht seine Art war.

«Was sagen?»

«Der Waldbrand ist die Alte von meinem Bewährungshelfer.»

Und jetzt natürlich das gute Gefühl vom Brenner. Böhmisches Viertel nichts dagegen.

7

Jetzt Party. Seit ein paar Jahren war die Tochter vom Festspielvize selber auch ein bißchen Präsidentin, nicht von
den Festspielen, sondern quasi Wohltätigkeitspräsiden-
tin. Weil Wohltätigkeit nie für den Hugo. Sondern das
Geld, das hereingekommen ist, nur für den Schwachen,
entweder vom sozialen dings her schwach, oder sagen
wir Afrika unten, wo sie die Kondome lieber aufsparen
als Willkommensluftballone für den nächsten Papstbe-
such. Dann natürlich Krankheiten noch und noch, muß
man wieder tonnenweise Medikamente hinunterschicken,
das kostet ja alles ein Vermögen, jetzt woher nehmen,
wenn nicht stehlen, haben die Festspielleute in einer be-
sinnlichen Stunde gesagt, wißt ihr was, machen wir eine
Wohltätigkeitsparty.

Aber diesen Sommer große Frage, ob die Tochter vom
Vize nicht alles absagen muß, weil Trauerfall. Dann
natürlich um so mehr Respekt, weil übermenschliche
Disziplin, Motto: Die Spenden sind wichtiger als meine
Gefühle. Und ich muß auch sagen, eine Absage hätte
ihren Mann nicht mehr lebendig gemacht. Eventuell, daß
die drei anderen dann am Leben geblieben wären, das
könnte ich mir vorstellen. Aber das wird man nie erfahren, weil oft die kleinsten Kleinigkeiten schon alles vollkommen verändern, und nur weil du dir vielleicht vor
dreißig Jahren die Schuhe zu locker gebunden hast, stürzt
morgen in China ein Flugzeug ab.

Obwohl ich ganz ehrlich sagen muß, daß der Brenner

auf der Party picobello Schuhe angehabt hat. Das ist ja nur damals im Puntigamer Gymnasium gewesen, daß er seinen Lehrer ganz verrückt gemacht hat mit seinen ewig offenen Schuhbändern. Aus heutiger Sicht muß man sagen, der Brenner Modeschöpfer, aber damals einfach schlampig und unordentlich, da soll man nicht zuviel Modeschöpferisches hineingeheimnissen. Aber dieser Lehrer hat sich nur deshalb so über jede Kleinigkeit aufgeregt, weil er mit seinem Beruf unzufrieden war. Darum ist er ja dann ausgewandert, hat sein Hobby zum Beruf gemacht, angeblich Berufspilot bei irgendeiner kleinen Fluglinie im hintersten China. Aber ich will jetzt nicht den Teufel an die Wand malen, daß der unbedingt abstürzen muß.

Vielleicht ist das mit China dem Brenner auf der Party auch nur eingefallen, weil er unter all den noblen Gästen wieder das bildhübsche Mädchen aus der Garderobe entdeckt hat. Zumindest hat er geglaubt, daß es dieselbe war, das ist ja das Verhexte mit den Asiatinnen. Daß es so was gibt, die Ähnlichkeit mit dem Putzmädchen aus dem Marianum war jetzt völlig verschwunden, aber an das Mädchen aus der Garderobe hat sie ihn doch erinnert. Nur daß sie heute ausgesehen hat wie eine Prinzessin. Und da muß man wirklich wieder einmal sagen, Gegensätze ziehen sich an, weil die Prinzessin hat wahrscheinlich keine vierzig Kilo gewogen und der schnaufende Baßsänger auf ihrem Schoß bestimmt das Zehnfache.

Die anderen Partygäste sind dem Brenner auch so durcheinandergekommen, daß er fast schwindlig geworden ist. Weltberühmte Sänger, Dirigenten, Industrielle,

Politiker, Bischöfe und, und, und. Erkannt hat er die wenigsten, aber jeden hat er schon irgendwann einmal im Fernsehen gesehen, oder Zeitung, oder in den Auslagen der Salzburger Geschäfte, wo während der Festspielzeit immer ein bißchen die Fotos von den berühmten Sängern ausgestellt sind, Tenorsänger, Baßsänger, Sopransänger, alles!

Bei manchen Gästen hat er bemerkt, daß sie unsicher sind, ob der Brenner auch weltberühmt ist oder nicht, weil die haben ihn mit diesem Lächeln angelächelt, das für solche Fälle reserviert ist. Ungefähr so ein Lächeln, wie wenn bei ohrenbetäubender Discomusik jemand seine Lebensgeschichte erzählt, und du verstehst zwar kein Wort, willst den Menschen aber nicht kränken, weil eventuell später ein bißchen Geschlechtsverkehr, deshalb ein leichtes Lächeln, das zu möglichst vielen Themen paßt, von Erfolgsgeschichte bis zu, sagen wir, tragischem Todesfall.

Auf einmal ist es still geworden, und ein großer, schlanker Mann, dem der schwarze Haarkranz rund um seine Glatze ein bißchen weggestanden ist wie Hörner, hat eine sehr schöne Rede gehalten, und dann war das Buffet eröffnet.

Leider nicht ganz nach dem Geschmack vom Brenner. Die japanischen Röllchen, weißt du, innen Reis und obendrauf roher Fisch. Und vielleicht war auch das der Grund, daß dem Brenner sein Lehrer in China eingefallen ist, weil China-Japan ist für ihn immer ein bißchen dasselbe gewesen.

In der Mitte sind zwei japanische Köche gestanden und haben stillschweigend ihre Röllchen gemacht, und die Leute haben sich die Röllchen genommen, denen hat das geschmeckt, und gesund soll es auch sein und macht nicht dick, aber dem Brenner hat vor dem rohen Fisch geekelt. Er hat mit Sehnsucht an die gute Hausmannskost im Professorenspeisesaal vom Marianum gedacht, da hat es gegeben: einmal faschierte Laibchen, dann wieder ein gekochtes Rindfleisch, oder einmal einen panierten Leberkäse, Spitzname fette Sau, solche Sachen, sicher nicht immer das Allergesündeste, vom Cholesterin her betrachtet, aber der Brenner eben in dieser Hinsicht noch alte Schule.

«Wie schmeckt's?» ist er von einem jungen, sehr eleganten Mann gefragt worden. Entweder Tenorsänger oder Hamlet-Darsteller, hätte der Brenner getippt, wenn er ihn nicht im letzten Augenblick doch noch an seinem halben Schneidezahn erkannt hätte.

«Was suchst du denn da, René?»

«Sie such ich.»

Jetzt in Wahrheit hat ihn der Dr. Prader mitgenommen, weil immer ein paar Freikarten für die sozial Schwachen auf der Party. Den Dr. Prader selber hat der Brenner ihn aber erst später entdeckt, wie er angeregt mit dem Sportpräfekt Fitz geplaudert hat.

«Mich suchst du?»

«Ich hab Ihr Küchenmädchen gefunden.»

«Wo?» hat der Brenner mit vollem Mund gefragt, weil er hat es nicht geschafft, den rohen Fisch abzubeißen, jetzt hinein mit dem ganzen Röllchen.

«Im Karteikasten.»

«Und wo hast du den Karteikasten gefunden?»

«Fragen Sie mich das nicht. Ich bin ja nur auf Be-

währung entlassen.» Aber nachdem er ein Röllchen ver-
drückt hat, hat der René doch damit angeben müssen:
«Der Waldbrand hängt die Büroschlüssel immer daheim
neben die Haustür. Da hab ich sie mir am Abend kurz
ausgeborgt.»

«Woher weißt du, daß es mein Küchenmädchen ist,
von dem du redest?» hat der Brenner möglichst unbeeindruckt getan.

«Es gibt nur ein einziges Kärtchen mit der Eintragung
Petting. Ich hab lang genug danach gesucht. Und das
Jahr stimmt auch. 1973. Damals müßte der Gottlieb im
Marianum gewesen sein.»

«Und was steht sonst noch drauf?»

«Nichts. Nur: Mary Ogusake. Und: Petting 69.»

«Scheiße.» Dem Brenner ist das Reisröllchen genau in
dem Moment hinuntergefallen, wie er es mit den Stäb-
chen schon fast bis zum Mund geschafft gehabt hat.
«Ogusake? Und ich hab immer geglaubt, es geht um
irgendeines von diesen halbdebilen Inzuchtgeschöpfen aus
dem Gebirge, die sie im Marianum als billige Küchen-
kräfte beschäftigen.»

«Ogusake», hat der René den Kopf geschüttelt. «Klingt
nicht nach einem Salzburger Bergbauern. Und die anderen Namen in der Kartei haben auch nicht besonders ein-
heimisch geklungen. Nur Wang und Wong und Li und
weiß der Geier.»

«Sie können also auch nicht umgehen mit dem Japa-
ner-Fressen», hat dem Brenner in dem Moment jemand
von hinten auf die Schulter gedroschen. Und wie er sich
umdreht, steht der Vizepräsident persönlich vor ihm.
Sein moderner Trachtenanzug hat ein bißchen ausgese-

hen wie die Phantasieuniformen bei den südamerikanischen Generälen, nur daß der Vize nicht halb so stramm gestanden ist. Weil der Schwiegervater vom Gottlieb mehr breit als hoch, und bei jedem Wort, das er gesagt hat, haben seine Wangen gebebt, als würde er gerade mit einem Preßluftbohrer den Asphalt aufbohren. Und ich muß auch sagen, kein Wunder, daß sich so ein Mann Enkel wünscht, weil die hätten an seinen Genickwülsten spielend lernen können, wie man bis zehn zählt.

Zuerst hat der Brenner sich ein bißchen ertappt gefühlt, aber sie haben sich dann eine Zeitlang über Essen unterhalten, und ob du es glaubst oder nicht, der Brenner und der Präsident genau den gleichen Geschmack, mehr für das Normale und gegen das Abnormale.

Der René ist neben ihnen stehengeblieben, und aus dem Augenwinkel hat der Brenner gesehen, daß der Dr. Prader mit dem Präfekt Fitz jetzt zum René herübergekommen ist. Das ist ja immer das Furchtbare auf solchen Partys, daß die Gespräche nebenan immer viel interessanter wären als das, was du gerade mit deinem eigenen Gesprächspartner zu bereden hast. Weil der René hat den Dr. Prader und den Präfekt Fitz jetzt ohne Umschweife gefragt, warum es im Marianum eigentlich so viel philippinisches Personal gibt.

Der Brenner hat sich mit dem Festspielvize über Rostbraten, gefüllte Kalbsbrust und Krautwickler unterhalten, aber mit den Ohren war er die ganze Zeit beim Präfekt Fitz, der die geschichtlichen Zusammenhänge erklärt hat. So was macht einen ja fürchterlich nervös, bestimmt zehn Minuten hat der Brenner sich regelrecht zweigeteilt. Während der Festspielvize mit einem feisten

Grinsen seine Lieblingsspeisen aufgezählt hat, haben der Präfekt Fitz und der Dr. Prader dem René erzählt, daß die Philippinen eines der katholischsten Länder der Welt sind.

Weil Philippinen missioniert bis in den letzten Winkel, ja was glaubst du. Das ist wie mit dem Zigarettenrauchen. Bei uns rauchen die Leute nicht mehr, weil Gesundheitsgründe, und man muß die Vorhänge nicht so oft waschen. Aber andererseits gutes Geschäft mit den Zigaretten, jetzt salomonische Lösung, sollen sie drüben mehr rauchen, wo sie kein Geld für Vorhänge haben.

Und Rauch und Glaubensdinge ja sehr verwandt, siehe Weihrauch oder bei den Indianern. Den Zigaretten-Managern wäre das ja nie selber eingefallen, wenn sie es nicht von den Kirchenleuten abgeschaut hätten. Bei der Kirche haben sie natürlich das viel bessere Personal, Bildung und alles, und die haben schon Hunderte Jahre vor den Zigarettenleuten gesagt, wißt ihr was, das exportieren wir in die Welt hinaus, das ist lustig, wenn die Asiaten auf den Knien Hühneraugen bekommen, weil große Forschungsfrage, ob die Hühneraugen dann auch schlitzförmig werden.

«Schlachtplatte», hat der Festspielvize gesagt, «ist für mich überhaupt das Göttlichste.» Und er hat dem Brenner ein Wirtshaus gesagt, Geheimtip, wo die Portionen so groß sind, daß die Schlachtplatte für zwei Personen ausreicht für drei bis vier Personen.

Und nebenan hat der Präfekt Fitz dem René erklärt, daß es von daher eben die traditionelle Verbindung gibt, ein eigenes kirchliches Personalbüro auf den Philippinen, das für die Mädchen Ausbildungsprogramme organisiert. Sie machen Kurse in Österreich, und nach ein paar Jahren sollen sie wieder zurückkehren und das Wissen weitergeben. Aber viele bleiben auch hier, heiraten oder werden Krankenschwestern oder beides.

Nach zehn Minuten Geistesspaltung hat der Brenner so Schädelweh gehabt, daß er es aufgegeben hat. Sie haben ja jetzt nebenan auch über ein anderes Thema geredet, er hat nur noch mitgekriegt, wie der Dr. Prader dem Fitz anvertraut hat, daß seine Frau möglicherweise ihre Stelle bei der Agentur Dr. Phil. Guth aufgeben möchte.

Vor lauter Angst, der Festspielvize könnte seine Abwesenheit bemerkt haben, hat der Brenner gleich eine etwas zu direkte Frage gestellt: «Sind Sie eigentlich zufrieden mit dem Untersuchungsergebnis der Kripo?»

Der Vize hat das Gesicht verzogen. «Die Kripo ist an einem Tag dreimal bei mir gewesen», hat er gejammert, daß seine Backen vibriert haben. «Ich weiß nicht, haben sie es sich beim ersten Mal nicht gemerkt, was ich ihnen gesagt habe? Oder ist es ein Hierarchieproblem? Das ist ja in den staatlichen Betrieben das Furchtbare. Wenn ich so wirtschaften würde, wäre ich schon längst pleite.»

Es war aber nicht nur das Sprechen, das seine Backen so beunruhigt hat. So richtig in Schwung gekommen sind sie durch das Grüßen, weil ununterbrochen links und rechts: «Grüß Gott, guten Abend, habe die Ehre. Bei denen kommt zuerst der Chef», hat er zwischendurch erzählt, «und befragt dich, dann kommt der Oberchef und fragt genau dasselbe, dann kommt der Oberoberchef und erklärt dir, daß die ersten beiden nur Lehrbuben waren, und alles noch einmal von vorn. Das ist wie bei diesen modernen Bildern, wo die Leute immer aufwärts gehen, obwohl sie gleichzeitig im Kreis gehen. Kennen Sie die? Surreal! Vielleicht haben sie mich ja verdächtigt, daß ich meinen Schwiegersohn eigenhändig –»

«Das glaub ich nicht», hat der Brenner in die Pause hinein gesagt, die entstanden ist, weil der Präsident doch noch einmal einen Versuch gemacht und ein bißchen was von seinem Röllchen abgelutscht hat. Womöglich, daß er sich gerade jetzt an sein Fisch-Scheibchen erinnert hat, wie er seinen in Scheibchen geschnittenen Schwiegersohn erwähnt hat.

«Mir wäre es aber lieber.»

«Lieber, daß man Sie verdächtigt als Ihre Tochter?»

Oha! Ist schon wieder ein Röllchen auf dem Boden gepickt!

«Schauen Sie, es will einfach nicht in meinen Mund hinein. Der Fisch weiß es besser als ich», hat der Festspielvize geschnauft.

Er hat sich ächzend mit einer Serviette nach dem Röllchen gebückt, damit niemand hineinsteigt, und wie sein violetter Schädel eine halbe Stunde später wieder heraufgekommen ist, hat er schnaufend gesagt: «Aber wissen Sie was? Im ersten Stock oben haben sie ein Gulasch vorbereitet. Das wärmen sie um Mitternacht auf, weil Gulasch gehört ja zu den Speisen, die durch das Aufwärmen besser werden. Das ist jetzt bestimmt schon fertig, damit es wieder abkühlen kann. Und wir schleichen uns jetzt hinauf und nehmen uns schon eine kleine Portion im voraus.»

Aber wie sie dann oben waren, keine Rede von einem Gulasch. «Das mit meiner Tochter hab ich gar nicht gern gehört. Ich weiß, wer du bist, Brenner. Und ich gebe dir einen guten Rat. Laß meine Tochter aus dem Spiel. Wenn ich sage, es wäre mir lieber, daß die Polizisten mich verdächtigen, dann meine ich damit, daß es dann wenigstens einen Sinn hätte, wenn sie dreimal kommen und dasselbe fragen. Das wird nämlich alles von meinen Steuern bezahlt. Und mit meiner Tochter hat das überhaupt nichts zu tun.»

Die Frechheit, daß ihn das Riesenbaby einfach geduzt hat, hat eine eigenartige Wirkung auf den Brenner gehabt. Auf einmal hat ihm der Ermordete leid getan, quasi: Mit so einem selbstherrlichen Schwiegervater bist du auch gestraft. Man möchte zwar meinen, für Mitleid hätte es vorher auch schon Grund genug gegeben, wenn ein Mensch in dreiundzwanzig Teile geschnitten worden ist. Aber der Brenner hat den Ermordeten ja nicht gekannt, und wenn man einen Menschen erst in der Puzzlestein-Variante kennenlernt, ist es oft schwer, daß man ihn sich überhaupt noch als Lebenden vorstellen kann. Aber jetzt auf einmal Riesenmitleid, und er hat sich richtig für den Gottlieb gefreut, daß ihm zumindest eine Sache im Leben gelungen ist, sprich: Alles für den Hugo.

«Ich weiß, daß du es nicht so gemeint hast», ist der Präsident auf einmal versöhnlich geworden, weil dickliche Sadisten immer sehr feinfühlig. «Aber ich möchte nicht, daß dieser Mann meiner Tochter auch noch aus dem Grab heraus das Leben versaut.»

Er hat eine Zigarrenschachtel aus einer Schublade herausgeholt und dem Brenner eine angeboten, aber der hat so getan, als würde er die Zigarren vor seinen Augen nicht einmal sehen.

«Was ich damit sagen will», hat der Präsident sich weiter eingebremst, «er fehlt mir nicht. Mit so einem Mann kann eine Frau nur unglücklich werden. Ist doch nicht so unverständlich, daß ich mir als Vater wünsche, daß meine Tochter glücklich wird.»

Meine Thochther, hat der Vize gesagt und überhaupt jedes «t» so hochnäsig behaucht wie diese Schnösel, die man am liebsten auf der Sthelle thothschlagen möchte. Da hätten sich drei Hasenscharten-Patienten ein schönes «t» herausschneiden können, so hat es der Vize auf der Zunge explodieren lassen. Für den Brenner hat es dadurch ein bißchen bayrisch geklungen, wo sie gern ein bißchen ein Thamtham um ihren Thialekth machen. Bayern war nur drei Kilometer von Salzburg entfernt, aber trotzdem gleich hinter dem Grenzbalken schon ein bißchen ein Hauch auf so manchem «t». Jetzt haben die besseren Salzburger gern ein bayrisches «t» nachgemacht, quasi international.

«Daß Ihre Tochter keine Kinder hat, ist an ihm gelegen?»

Der Vize hat nur verächtlich geschnauft.

«Aber grundsätzlich hat er sich schon für Frauen interessiert?» hat der Brenner vorsichtig gefragt. «Im Internat soll er sich in das Küchenmädchen verliebt haben.»

Manche Leute glauben, Zigarren sind nicht so ungesund wie Zigaretten, weil man nicht inhaliert. Und abgesehen von Zungenkrebs, Rachenkrebs und Gaumenkrebs stimmt das auch. Aber der Präsident jetzt einen Hustenanfall, daß es den Brenner nicht gewundert hätte, wenn ihm seine glasigen blauen Augen aus dem tomatenroten Gesicht herausgehüpft und auf den Boden geklatscht wären wie vorher das Sushi. Mit dieser Verschwendung von Hustenluft hätte der Vize locker ein ganzes bayrisches Wörterbuch behauchen können.

Muß natürlich nichts heißen, aber interessant ist es schon, hat sich der Brenner gedacht, daß ein alter Zigarrenraucher wie der Festspielvize auf einmal einen Lungenzug macht wie ein Gymnasiast, der eine Davidoff nicht von einer Kaugummizigarette unterscheiden kann.

«Das ist lange her», hat er gehüstelt und dabei so rot geleuchtet wie diese Kürbisse, die sie in manchen Gegenden zu gespenstischen Lampions umarbeiten, und man weiß nie, vertreiben sie die bösen Geister, oder sind sie es selber. «Natürlich ist es an ihm gelegen. Du weißt es ja schon von meiner Tochter. Er war uninteressiert. Millionen für den Psychiater ausgegeben. Und was kommt heraus? Statt daß er sich für meine Tochter interessiert, spaziert er erst recht bei den Duschen seiner Kindheit herum und läßt sich von einem Sandler erschlagen, der um sein Versteck fürchtet.»

«Warum hat sich Ihre Tochter nicht scheiden lassen?»

«Ich hab ihr ja immer gesagt, daß sie es ist, die zum Psychiater gehört, nicht er. Sie hat einen Wohltätigkeitstick, meine Frau Thochther.» Schön langsam hat sich seine Stimme wieder beruhigt, und er hat wieder schön Luft zum Behauchen gehabt. «Sie hätte alle Möglichkeiten der Welt gehabt. Und was thut sie? Heiratet einen Thothalversager.»

«Jetzt steigen Ihre Chancen auf Enkel jedenfalls wieder.»

«Wer sagt das?»

«Die Logik sagt das.»

«Logik!» hat der Rollmops verächtlich aufgeschnauft. «Weiberlogik!»

«Wenn Ihre Tochter noch einmal heiratet.»

«Da wage ich gar keine Prognosen. Die Ratschlüsse meiner Frau Thochther sind unergründlich. Sie ist so stur wie –»

Da hat der Vize nicht weitergeredet, sondern über irgendwas nachgedacht.

«– wie Sie?» hat ihm der Brenner geholfen.

«Muß man als Detektiv Gedanken lesen können?»

«Es schadet jedenfalls nichts.»

«Das Gulasch essen wir dann um Mitternacht», hat der Präsident abrupt das Thema gewechselt, quasi: Wenn der andere schon Gedanken lesen kann, muß ich ihm wenigstens zeigen, wer der Herr im Haus ist. «Frisch schmeckt es mir nicht, erst aufgewärmt kriegt es den richtigen Gulaschgeschmack.»

«Für mich darf es sogar ein bißchen angebrannt sein.»

«Angebrannt!» hat der Festspielpräsident ausgerufen. Mitten im Hinuntergehen ist er auf der Holzstiege stehengeblieben und hat sich nach dem Brenner umgedreht, als hätte er gerade die größte Weisheit seines Lebens vernommen. «Seit siebenunddreißig Jahren bin ich verheiratet, und genauso lange streite ich mit meiner Frau darüber! Ich sage, das Gulasch muß ein bißchen angebrannt sein.»

«Es darf ruhig ein bißchen rußig schmecken.»

«Richtig! Ruhig ein bißchen rußig. Und weißt du, was meine Frau sagt?»

«Krebs.»

«Sie können ja wirklich Gedanken lesen», ist der Vize vor lauter Schreck in die Höflichkeitsform zurückgefallen.

Unter uns gesagt, der Brenner kann natürlich nicht Gedanken lesen. Aber er hat eben auch schon so seine Erfahrungen mit dem anderen Geschlecht gemacht, viel Positives auch dabei, da möchte ich gar nichts dagegen sagen, aber natürlich einen Toast schön schwarz werden lassen oder von mir aus ein Gulasch anbrennen, das geht nicht, weil sofort ein Aufschrei, daß man glauben könnte, der liebe Gott hat ihnen nur dafür ihre hohen Stimmen gegeben: Krebs! Krebs! Und noch einmal Krebs!

«Stammen Sie eigentlich aus Bayern?»

«Jetzt werden Sie mir langsam unheimlich, Brenner.»

«Mir ist es nur vom Dialekt her so vorgekommen.»

«Thialekth?»

Der Brenner hat genickt.

«Kennen Sie sich so gut aus mit dem Bayrischen?»

«Das einzige, was ich über Bayern weiß, ist, daß dort die Ortsnamen alle so chinesisch klingen, immer mit dem -ing hinten: Chieming, Ainring, Taching, Piding. Mein Groß-vater hat immer gesagt, da kommen die Ingenieure her.»

«Die Ingenieure», hat der Vize gelacht. «Da wäre ich ja auch ein Ingenieur, wenn ich aus Petting stamme.»

«Petting?»

«Petting, gleich hinter Freilassing, zwischen Waging und Heining. Das kennen Sie nicht. Ist nur ein kleines Kaff ohne Straßennamen. Ich hab mein Elternhaus dort schon vor bald dreißig Jahren verkauft.»

«Petting 69», hat der Brenner gesagt.

Jetzt unglaublich, daß man mit so einem fetten Gesicht doch noch so finster schauen kann: «Das müssen Sie mir aber jetzt erklären», hat es aus dem feisten Gesicht leise herausgezischt.

«Ihre Tochter», hat der Brenner gelogen.

Und dann waren sie Gott sei Dank schon im Salon, und der Vize ist gleich zu seiner Tochter hinübergestürmt.

Im Salon jetzt vollkommen veränderte Stimmung. Alle sind im Kreis gestanden, und ein einziger Mensch in der Mitte, der geredet und gegessen hat. Aber nicht daß du glaubst, Röllchen gegessen, oder meinetwegen Gulasch gegessen, oder von mir aus sogar verbrannten Toast. Ob du es glaubst oder nicht, der René ist dagestanden und hat vor aller Augen sein Sektglas verspeist!

Die feinen Festspieldamen haben den Prolo angehimmelt, als hätten sie sich vor lauter Fischessen selber in kleine dreizehnjährige Backfische verwandelt.

«So hast du dir also deinen Zahn ausgebissen», hat der Brenner nach der Vorstellung möglichst unbeeindruckt getan.

Der René hat den Kopf geschüttelt. «Glas ist ja weicher als vieles, was wir essen. Es kommt nur darauf an, daß man es richtig einspeichelt. Darum macht es ja die Weiber so geil, wenn man vor ihnen ein Glas verzehrt.»

«Verstehe.» Der Brenner hat einen Augenblick überlegt. «Ich werde dir jetzt einmal was sagen. Petting kannst du vergessen.»

«Da wäre ich mir nicht so sicher», hat der René blöd gegrinst. «Das fällt nämlich nicht unter meine Bewährungsauflagen. Ab vierzehn natürlich! Aber die Damen sind ja alle schon über vierzehn.»

«Weißt du, was Petting ist?»

«Eine halbe Sache.»

«Ein paar Kilometer über der Grenze. Petting zwischen Freilassing und Waging oder so.»

Der René hat seine Augen geschlossen, als würde ihn jetzt das Sektglas doch drücken, und dann hat er seine Augenlider ganz langsam wieder auf Halbmast hochgezogen und mit einer ziemlich gut nachgemachten weiblichen Schleifpapierstimme gesagt: «Interessant.»

«Ja, interessant.»

«Das wird den Herrn freuen», hat der René wieder mit seiner eigenen Stimme gesagt und auf den Glatzkopf mit den schwarzen Hörnern gedeutet, der die schöne Eröffnungsrede gehalten hat.

«Wieso?»

«Sagen Sie bloß, Sie kennen den nicht.»

«Sieht aus wie ein Dirigent mit seinen Haaren.»

«Und wenn ich Ihnen sage, daß er sich freuen wird», hat der René den Rätselonkel spielen müssen, «weil ihn die Sache mit Petting jetzt nicht mehr belastet? Weil jetzt eher der Gottlieb blöd dasteht?»

«Das ist der Schorn?»

«Ich hoffe, der legt dann aus Dankbarkeit für meine Nachforschungen ein gutes Wort für mich ein.»

«Beim Arbeitsamt?»

«Beim Waldbrand. Ich bin ja nur auf Bewährung heraußen. Und sie hat mich erwischt, wie ich vor der Party noch schnell die Büroschlüssel zurückgelegt habe.»

«Ich hab mich schon die ganze Zeit gewundert, daß der Waldbrand nicht auch da ist.»

«Eben deshalb. Sie hat ja gleich ins Büro hinunter müssen, vor lauter Angst, ich könnte ihr was gestohlen haben.»

«Das ist eine schlechte Nachricht», hat der Brenner gleichgültig gesagt.

Er hat versucht, es sich nicht anmerken zu lassen, daß er sich in dem Moment richtig ein bißchen um den René gesorgt hat. Aber die Sache hat ihn nicht lange belastet. Zwei Stunden später hat er sie schon komplett vergessen gehabt. Überhaupt keine Sorgen mehr um den René. Weil es gibt auf dieser Welt nichts Besseres gegen kleine Sorgen, als wenn du auf einmal richtige Sorgen hast.

8

Auf dem Heimweg über den Kapuzinerberg hat der
Brenner den morgigen Kopfwehanfall schon ein bißchen
kommen gespürt. Es war aber nicht der Alkohol, weil so
viel hat er auf der Party gar nicht getrunken. Es war
mehr das Reden. Und das Zuhören. Und vor allem das
scheinbare Zuhören, während man in Wahrheit gerade
nebenan zuhört.

Weh getan hat ihm der Kopf noch kein bißchen, aber
eben aus Erfahrung hat er schon gewußt, es läßt sich
nicht mehr aufhalten. Weil auf dem Heimweg schon un-
trügliches Zeichen: zuviel aufgeregtes Durcheinander im
Kopf, zu viele schnatternde Gedanken, quasi Gedanken-
party.

Aber interessant, genauso wie er beim Gespräch mit
dem Vize in Gedanken nebenan beim Sportpräfekt Fitz
und dem Dr. Prader war, hat er am Heimweg zwar über
das Haus in Petting nachgedacht und darüber, daß das
Küchenmädchen eine fünfzehnjährige Philippinin war,
aber in Wirklichkeit war er auch schon die ganze Zeit
bei einem anderen Gedanken, praktisch Unhöflichkeit
gegenüber den eigenen Gedanken.

Wie gesagt, es ist nicht vom Alkohol gekommen, daß
er die ganze Zeit bei der Rede vom Monsignore Schorn
war. Und bestimmt nicht vom Vollmond, weil so richtig
Vollmond war ja noch gar nicht, sondern erst in zwei
Tagen, es hat nur schon so ausgesehen wie Vollmond.
Und es ist bestimmt nicht vom Wetter allein gekommen.

Obwohl es schon ein bißchen gespenstisch war, wie der Föhnsturm über den Kapuzinerberg gefahren ist.

Und Föhn immer gefährlich für Kopfweh, da hätte der Brenner schon ein bißchen aufpassen sollen, daß ihm die Gedanken nicht zu wild durch den Kopf galoppieren, damit er es nicht am nächsten Tag büßen muß. Andererseits ist das ja gerade das Wesen der ganzen Sache, daß du dich in dem Moment schon nicht mehr in der Hand hast. Und nicht erst am nächsten Tag, wenn du endgültig mit dem Gefühl aufwachst, als hätte dir eine von diesen Ramm-Maschinen, die sonst beim Tiefbau die Eisenpfähle in den Boden jagen, den Kopf zwischen die Schultern hineingestopft wie das reinste Wasserballventil.

Jetzt hat er sich am Heimweg über den rauschenden Kapuzinerberg steif und fest eingebildet, daß der Monsignore Schorn seine Rede gar nicht für die Partygäste gehalten hat. Sondern ausschließlich für den Brenner, sprich letzte Warnung.

«Es ist mir eine besonders große Freude», hat der Monsignore Schorn seine Rede begonnen, «daß gerade die größten Künstler der Welt nicht auf die Ärmsten der Armen vergessen. Niemand weiß so gut und aus so tiefer eigener Erfahrung, daß die größten Werke des Menschen aus dem Verzicht entstehen. Nur der Dilettant greift wollüstig nach allem, was ihm in die Finger kommt. Zur Kunst aber findet ein Werk erst in der Selbstbeschränkung. So wie der Mensch erst zu wahrem Menschsein findet, wenn er begreift: Geben ist seliger als nehmen.»

Mein lieber Schwan, vor lauter Föhn und Mond und Kopfweh im Anmarsch hat der Brenner den Anfang der Rede noch fast wörtlich im Kopf gehabt. Den Rest der

Ansprache hat er sich aber nur noch bruchstückhaft zusammenklauben können. Wenn er am Anfang der Party schon gewußt hätte, daß der Redner der Monsignore Schorn war, hätte er natürlich von vornherein besser aufgepaßt. Aber so eben nur bruchstückhaft. Und vielleicht hat er sich auch deshalb jetzt eingebildet, daß die Rede ihm gegolten hat, weil das Bruchstückhafte immer gefährlich, daß man es sich falsch zusammensetzt, und fertig ist der Verfolgungswahn.

Irgendwie ist der Monsignore Schorn in seiner Rede auf einmal auf den Vincent van Gogh gekommen. Da hat der Brenner wieder aufgepaßt, weil Vincent van Gogh guter Künstler, nur das Ohr hätte er sich nicht unbedingt abschneiden müssen. Weil dann hätte die Rede vom Monsignore Schorn nicht so lange gedauert.

Zuerst hat der Brenner angenommen, er redet gerade über diesen Maler, weil wahrscheinlich im Publikum viele Leute, die einen echten van Gogh im Schlafzimmer haben, und daß er ihnen mit dem Thema elegant ein bißchen die Spendierhosen öffnen will. Aber nein, der Monsignore hat auf ganz was anderes hinausgewollt. Er hat nämlich Gedanken darüber angestellt, daß es eine heikle Angelegenheit ist mit dem Verzicht und daß man es sogar übertreiben kann.

Weil immer wieder kritische Worte in der Öffentlichkeit gegen die Wohltätigkeitsparty, quasi die reichen Leute wollen sich ja nur von ihrem schlechten Gewissen loskaufen. Und da hat eben der Monsignore Schorn den ganz interessanten Gedanken gehabt, daß man es auch nicht übertreiben darf mit dem Verzichten. Und eben Kunstgeschichte gutes Beispiel, man soll sich nicht gleich das eigene Ohr abschneiden vor lauter Begeisterung, weil das nützt im Endeffekt auch niemandem etwas. Sondern selber gesund und tüchtig bleiben, um den anderen zu helfen, so ist es richtig.

Auf dem Heimweg hat der Brenner sich wieder gedacht, daß es wirklich eine recht interessante Rede war, weil nicht nur Moral, sondern auch Kunst. Und den Paul Getty hat der Monsignore Schorn auch noch erwähnt. Kennst du bestimmt, der amerikanische Millionärssohn, dem sie auch das Ohr abgeschnitten haben, weil die Entführer sich damals gesagt haben, irgendwie müssen wir ja beweisen, daß wir ihn haben.

Da hat der Monsignore Schorn die wildesten Vergleiche gemacht, und ich muß schon sagen: Vielleicht nehmen sie bei der Kirche doch einfach die besten Prediger als Bischöfe, daß das womöglich gar nicht so viel mit den heimlichen Hygiene-Informationen zu tun hat.

Erst beim Heimgehen ist dem Brenner aufgefallen, wie raffiniert der Schorn sein Thema gewählt hat. Auf einer Festspielparty vor unzähligen weltberühmten Musikern ausgerechnet über das Ohr reden, da muß ich schon ganz ehrlich sagen, nicht blöd. Er hat geredet über den van Gogh mit seinem Ohr (zuviel Verzicht), über den Paul Getty mit seinem Ohr (zuviel Gier) und ganz allgemein über das gute Ohr und über das schlechte Ohr. Weil das Ohr ist natürlich eine sehr gute Sache für einen Musiker, da gibt es gar nichts. Aber es kann auch böse sein, das Ohr, wenn der Mensch zu neugierig ist. Und Bibel ganz brutal: Wenn dich dein Ohr ärgert, dann schneid es ab.

«Dann schneid es ab!» hat der Bischofskandidat

Schorn mehrmals in seiner Rede ganz schneidig ausgerufen. Weil er hat gesagt, man darf sich nicht irritieren lassen von den Verleumdungen, und wenn die Öffentlichkeit sich über den Wohltätigkeitsgedanken lustig macht, dann muß man sein Ohr vor diesem Gift verschließen. Und der Monsignore Schorn sehr interessante Formulierung: Man soll sein Ohr nicht jedem leihen, weil könnte leicht sein, daß man es nicht mehr zurückkriegt.

Der Brenner hat sich am Heimweg erinnert, daß bei dieser Formulierung die weltberühmten Musiker richtig zusammengezuckt sind. Furchtbare Vorstellung, weil natürlich Gehör wichtiger als Stimme, das hat ja sogar der Brenner von seinem Puntigamer Musiklehrer gewußt. Jetzt wie kommt der Detektiv auf die Idee, daß diese Worte ausgerechnet ihm allein gegolten haben?

Sicher, für einen Detektiv ist das Gehör auch sehr wichtig. Es wird zwar immer viel geredet von der Nase, die ein Detektiv haben muß. Aber ich sage, Gehör wichtiger als Nase! Und Nase war ja wirklich nicht die große Stärke vom Brenner. Aber stundenlang jedem noch so unwichtigen Gewäsch sein Ohr leihen, da war er schon, möchte ich fast sagen, eins a.

Aber trotzdem. Wenn eine Rede vor hundert Musikern vom Gehör handelt, wird man nicht leicht auf die Idee kommen, daß das Thema ausgerechnet dem einzigen Detektiv in der Runde gilt. Und war ja eigentlich gar nie die Art vom Brenner, daß er alles auf sich bezieht, das gar nichts mit ihm zu tun hat. Im Gegenteil, das haben gewisse Partnerinnen in seinem Leben sogar kritisiert, daß er nicht einmal die Dinge auf sich bezogen hat, die ganz eindeutig für ihn bestimmt waren. Jetzt wie kommt er zu der Einbildung, daß der Schorn die ganze Rede nur für ihn ausgetüftelt hat, quasi Warnung, daß er es nicht so gern hat, wenn jemand seiner Vergangenheit das Ohr leiht.

Ich muß es vielleicht noch genauer sagen. Direkt auf dem Heimweg hat der Brenner es noch gar nicht so als Warnung verstanden. Schon komisches Gefühl, aber da hat zuerst vielleicht doch auch der Alkohol und der Föhnsturm und der Fast-Vollmond ein bißchen dazu beigetragen, daß ihn die Schorn-Rede generell so beschäftigt hat.

Und erst wie er dann zwei Stunden nach Mitternacht in sein Hilfspräfektenzimmer gekommen ist, hat er die Warnung verstanden. Wie er seine Ohropax nicht gefunden hat. Oder vielleicht noch nicht einmal da. Vielleicht erst, wie er eine Minute später den Kriegsinvaliden in der Portiersloge aus dem Schlaf geschüttelt hat. Der hat sich natürlich gewundert, daß ihn der Brenner mitten in der Nacht aufweckt, nur um zu fragen, ob in letzter Zeit der Monsignore Schorn einmal im Haus gewesen ist.

«Ja, der kommt öfter einmal zu Besprechungen ins Haus», hat der Portier gegähnt.

«Und wann zuletzt?»

«Gestern abend.»

«Was meinen Sie mit gestern? Heute oder gestern?»

«Gestern, weil wir heute schon morgen haben.»

Der Brenner hat ihn so wütend an den Schultern gerissen, daß der Alte seine Auskunft auf einmal ganz unspitzfindig zusammengebracht hat: «Vor sechs oder sieben Stunden hab ich ihn hinausgehen gesehen.»

«Allein?»

«Ja, allein.»

Und der Brenner war dann auch wieder allein. Weil was hätte er anderes machen sollen, als zurück in sein Zimmer gehen? So richtig wohl hat er sich natürlich nicht gefühlt. Aber nicht daß du glaubst, er hat dann vor Angst nicht schlafen können. Im Gegenteil, er ist auf der Stelle eingeschlafen. Und er hat geschlafen wie bewußtlos. Weil so hat er immer geschlafen, wenn sein Kopf einen Anfall ausgebrütet hat. Wie bewußtlos. Oder sagen wir so. Wie tot.

Vielleicht, daß er sogar gerade wegen der Angst so fest geschlafen hat. Ich möchte fast sagen, wie ein kleines Kind, das besonders fest schläft, weil es von der Angst nichts mehr wissen will.

Jetzt wie kann es so was geben, daß ein gestandenes Mannsbild wie der Brenner sich fürchtet, weil ihm wer seine Ohropax aus der Schachtel genommen hat? Du mußt dich hineinversetzen in einen Menschen, der gerade auf einer schillernden Party war, dann die Pettingsache, die Ogusakesache, dann der Heimweg über den föhngebeutelten Kapuzinerberg, dann hinein in die unsympathische Internatsburg, hinauf in das Hilfspräfektenzimmer, und einzige Zuflucht die Schachtel mit den rosaroten Wachskügelchen. Ist natürlich schon ein komisches Gefühl, wenn du todmüde die Schachtel aufmachst, und von den zwanzig Kügelchen ist kein einziges mehr drinnen.

Komisches Gefühl, ja, aber deshalb gleich den Nachtportier wecken, nein.

Ich muß dazu sagen, die Kügelchen waren nicht mehr drinnen, aber leer war die Schachtel trotzdem nicht. Weil jemand hat die rosaroten Wachskügelchen in ein wunderschönes, vollkommen naturalistisches menschliches Ohr verwandelt.

Das Ohr hat so genau in die Ohropaxschachtel gepaßt wie in einen Maßsarg. Und es hat so echt ausgesehen, daß es den Brenner nicht gewundert hätte, wenn es noch warm gewesen wäre. Vielleicht hat er nur deshalb nicht vor Schreck aufgeschrien. Aus Angst, daß ihn das Ohr hört. So rosarot und lebendig hat es aus seinem Etui geleuchtet. Van Gogh nichts dagegen.

9

Bei der Wetteransage im Fernsehen hat sich auch viel verändert im Lauf der Jahre. Früher waren sie mit den Tricks noch nicht so gut, und die Ansager auch noch ein bißchen steif. Heute natürlich Computertricks eins a, da erheben sich die Berge so dreidimensional, daß man oft beobachten kann, wie die Ansagerin sich streckt, damit sie nicht gegen die Computerberge ins Hintertreffen kommt. Und die Wolken und der Schnee, alles wunderbar, ich muß ehrlich sagen, Wetter schau ich mir immer gern an, und bei den Ansagerinnen werden sie bestimmt auch noch Verbesserungen einführen, daß die nicht immer so eine schnarrende Stimme haben.

Links unten haben sie im Österreicher immer so eine Abkürzung eingeblendet, da steht ganz unauffällig ZAMG, und die wenigsten Leute wissen, was das bedeutet. Paß auf: Zentralanstalt für Meteorologie und Geodynamik. Weil Wettervorhersage natürlich hochkomplizierte Sache, das muß ja das Fernsehen auch irgendwoher haben, und dafür gibt es eben die Zentralanstalt, da beobachten sie das den ganzen Tag, die ganze Meteorologie und Geodynamik, Riesenferngläser, ja was glaubst du, dann die Berechnungen, Computer und alles, da steckt ja eine gewaltige Arbeit dahinter, bis am Abend die Blondine bellen kann: In den Bergen leider Kaltfront.

Jetzt daß es in Salzburg oft regnet, dafür braucht man keinen Wetterbericht, weil reinstes Sprichwort. Aber nur die wenigsten wissen, daß in Salzburg der Regen das gute

Wetter ist. Weil Auswahl nicht sehr groß: entweder Regen oder Föhn, und jetzt schon seit Tagen der Regen im Anmarsch, hat der Brenner natürlich Schädelweh gehabt, frage nicht.

Seit der Party hat er deshalb nicht recht viel unternommen, weil Apotheke Hauptschauplatz. Und bevor du jetzt sagst, der Föhn war gar nicht schuld, sondern die hübsche Notapothekerin, die ihm die Ohropax verkauft hat, kann ich dich beruhigen: Der Brenner wäre am liebsten in eine andere Apotheke gegangen, damit ihn seine Notapothekerin in diesem Zustand nicht sieht. Weil wenn beim Brenner einmal das Schädelweh ausgebrochen ist, hat er immer das Gefühl gehabt, daß ihm ein dreimal so großer Wasserkopf wächst. Und er hat ja von Natur aus schon einen ziemlichen Quadratschädel gehabt, jetzt dreifache Größe besonders unvorteilhaft.

Gefreut hat es ihn natürlich schon ein bißchen, daß sie sich noch an ihn erinnert hat, weil schnippische Bemerkung: «Ich hoffe, Sie haben nicht von den Ohropax Kopfweh gekriegt.»

«Jaja, die sind mir in das Hirn gerutscht», hat der Brenner behauptet.

Die Notapothekerin hat die Augen verdreht. Sie hat ja nicht wissen können, wie nahe sie mit ihrer Diagnose der Wahrheit gekommen ist. Daß die Ohropax, an denen sich der Monsignore Schorn so künstlerisch vergangen hat, dem Brenner wirklich Kopfzerbrechen bereitet haben. Ihm ist sogar vorgekommen, daß das Schädelweh dieses Mal ein bißchen verschoben war. Der Schmerz ein bißchen hinuntergerutscht, ich möchte fast sagen, unge-

fähr so ein Schmerz, als hätte man ihm das linke Ohr abgeschnitten.

Ihm ist auch vorgekommen, als würde er besser hören als normal. Als wäre sein Kopf jetzt ganz direkt für
Geräusche zugänglich, ohne umständlichen Ohrenfilter,
praktisch Loch im Kopf. Jedes vorbeifahrende Auto, jede
Stimme, jedes Schnaufen hat ihn verrückt gemacht. Nur
damit du verstehst, warum der Brenner an den beiden
Tagen nach der Party absolut nichts getan hat.

Jetzt allgemeine Überlegung: Was tut eigentlich der
Mensch, wenn er nichts tut? Weil absolutes Nichtstun
ist ja streng betrachtet unmöglich. Irgend etwas tut der
Mensch immer, auch wenn er nichts tut. Das ist genauso
kompliziert wie mit dem Beweisen der Nichtschuld, wo
die Witwe dem Brenner erklärt hat, daß das streng betrachtet nicht geht.

Ja siehst du, darüber hat der Brenner nachgedacht. Er
ist am Salzachufer gestanden und hat auf das Wasser hin-
untergestarrt, das in seiner berühmten grünen Schädel-
wehfarbe in diesem berühmten trägen Schädelwehtempo
Richtung Abgrund spaziert ist, und hat geglaubt, daß er
nichts tut. Aber in Wirklichkeit hat er darüber nachgedacht, was ihm die Witwe da über die Nichtschuld erklärt hat. Daß man die nicht beweisen kann. Warum
eigentlich nicht, hat der Brenner sich gefragt. Natürlich
postwendend verschärftes Strafkopfweh für diese unnö-
tige Frage. Das war die einzige Antwort, die seinem Kopf
dazu eingefallen ist.

Für die Spaziergänger am Salzachufer hat es vielleicht
ein bißchen so ausgesehen, als würde der Mann sich überlegen, ob er hineinhüpfen soll, praktisch einzige Möglich-

133

keit, wenn du heute wirkliches Nichtstun anstrebst. Aber vorher das Springen ist erst recht wieder Tun, das ist wie mit den Banken, egal wie du rechnest, als kleiner Sparer verlierst du immer.

War übrigens gar nicht weit von der Brücke, wo er als Polizist einmal einen Küchensessel wegräumen hat müssen. Eine alte Frau hat sich den Sessel mitgenommen, damit sie leichter über das Geländer gekommen ist, jetzt große Frage für die Polizei, was tun wir mit dem Küchensessel, das geht immer weiter mit dem Tun.

Aber so nahe wie der Brenner an diesem Nachmittag ist bestimmt noch nicht oft ein Mensch an das absolute Nichtstun herangekommen. Weil er ist mit seinem Salzburger Föhnschädel an der Salzach gestanden und hat über die ZAMG nachgedacht, sprich: Zentralanstalt für Meteorologie und Geodynamik.

Jetzt warum ausgerechnet über die Zentralanstalt? Paß auf, was ich dir sage: Salzburg immer Traditionspflege, alles Altstadt und ding, und da haben sie sogar beim Wetterbericht eine sehr schöne Traditionspflege. Ob du es glaubst oder nicht, an dem Brückenpfeiler, vor dem der Brenner gestanden ist, war eine Marmortafel montiert mit einem Wetterbericht von damals. Aber das muß schon wirklich vor Jahrhunderten gewesen sein, weil da haben die Wetteransager ihren Bericht noch gereimt, und ich muß ehrlich sagen, das war schon noch was anderes. Allein schon die Schlagzeile.

Vorstadt im Föhn.

Das mußt du dir einmal so richtig auf der Zunge zergehen lassen. Da spürt man förmlich den Respekt, den sie damals noch vor dem Wetter gehabt haben. Und

in dieser Tonart ist es auf der Marmortafel weitergegangen.

Am Abend liegt die Stätte öd und braun,
die Luft von gräulichem Gestank durchzogen.

Mein lieber Schwan, wenn sie heute so ohne Fröhlich-
keit den Smogalarm ansagen würden, sofort Massen-
selbstmord. Kein Wunder, daß dem Brenner bei diesem
Wetterbericht der ehemalige Wetteransager in den Sinn
gekommen ist, der den Gottlieb in den Tischfußballtisch gesteckt und sich dann in der Dusche erhängt hat.
Er hat kurz überlegt, ob der Wetteransager womöglich
noch leben würde, wenn man ihn beruflich nicht immer
zur fröhlichen Ansage gezwungen hätte, sondern eben
manchmal auch mehr auf der düsteren Seite, wie sie es
früher gemacht haben.

Weil ich muß schon sagen, früher haben die keinen
Genierer gekannt. Zeile um Zeile ist das noch deprimie-
render geworden. Aber der Brenner hat die Zeilen immer
wieder gelesen, weil irgendwas mußt du ja tun, wenn du
Schädelweh hast, du kannst nicht nichts tun. Und wenn
du im Kopf einmal den Schmerz hast, dann am ehesten
noch Linderung, wenn du etwas anschaust, das auch
einen gewissen Schmerz zeigt.

Nur die Abkürzung unter dem damaligen Wetterbericht
hat ihm keine Ruhe gelassen. Das muß die Abkürzung für
die damalige Zentralanstalt gewesen sein, und der Brenner hat sich bemüht, dahinterzukommen, wofür die Abkürzung stehen könnte. Aber schon interessant, daß sie
damals auch schon diese Sucht nach Abkürzungen gehabt
haben, vielleicht einfach, weil man dann den Wetterbericht
doch schneller in den Marmor gemeißelt gehabt hat.

Temperatur-, Regen-Ansage, Kaiserliche Luftdruckmessung, hat der Brenner herumprobiert, aber er ist mit der Abkürzung auf keinen richtig grünen Zweig gekommen, und für das Kopfweh solche Überlegungen natürlich ganz schlecht, darum hat er es dann auch gleich wieder aufgegeben. Der Druck im Kopf vom Brenner ist jetzt so gestiegen, daß er Zustände gekriegt hat. Das ist ein Gefühl, wie wenn du atmen möchtest, aber im Atemluftgeschäft sagt die Verkäuferin, Luft ist heute leider aus, aber Watte hätten wir noch.

Jetzt wichtig für alle Wetterfühligen. Der Föhn an und für sich ist nicht das schlimmste. Das schlimmste sind die Stunden, bevor der Föhn zusammenbricht. Weil du darfst eines nicht vergessen. Was ist der Föhn schon anderes als ein warmer Fallwind? Und was tut der Föhn? Er wehrt sich gegen den Regen. Und was will der Regen? Ebenfalls fallen! Rundherum fällt schon der Regen, aber in Salzburg fällt noch der warme Fallwind.

Wenn natürlich jetzt der Regen langsam näher kommt, und der Föhn wehrt sich noch mit aller Kraft, gerätst du zwischen den beiden Streitparteien leicht in eine ungemütliche Situation. Das mußt du dir ungefähr so vorstellen wie in einem Bierzelt, wo zwei Besoffene aufeinander losgehen, und du sitzt dazwischen und kriegst ihre Bierkrüge auf den Kopf.

Darum ist der Brenner so belämmert am Salzachufer gestanden und hat ein bißchen das Gefühl gehabt, als wäre die Welt stehengeblieben.

Aber interessante optische Täuschung: Oft glaubt man, daß die Welt stehenbleibt, wenn sie in Wirklichkeit einen Ruck macht. Wie wäre es sonst möglich, daß der

Brenner zwar eine Ewigkeit für den Heimweg ins Marianum gebraucht hat, aber im nächsten Moment schon wieder in Petting aus dem Taxi gestiegen ist?

Und das Schädelweh war auch komplett weggefegt. Und ein Wolkenbruch ist heruntergesaust, daß der Taxifahrer ihn gefragt hat, ob er wirklich sofort aussteigen will. Aber da hat der Brenner die Taxitür schon längst hinter sich zugeknallt gehabt.

«Dr. Ogusake» ist auf dem kleinen Schild neben dem Gartentor gestanden. Genau wie es ihm am Telefon beschrieben worden ist. Weil wie der Brenner endlich im Marianum angekommen ist, hat der kriegsinvalide Portier ihm einen Zettel mit einer Telefonnummer in die Hand gedrückt. Vorwahl Deutschland, Vorwahl Petting, Rufnummer. Der Brenner hat es gleich vom Portier aus probiert. Aber nicht daß du glaubst, die Philippinin Mary Ogusake hat abgehoben.

Der René hat abgehoben. Der hat dem Brenner fröhlich gemeldet, daß er schon seit zwei Tagen bei der Philippinin wohnt, und der Brenner soll sofort kommen, weil aufregende Neuigkeiten, und was auf den geklauten Festspiel-Disketten außer den Geburtstagen und Hautcremen noch alles für Informationen verzeichnet waren, das glaubst du nicht. Der Brenner hat sich irgendwie gefreut, daß der René ihn auf einmal geduzt hat, praktisch Vertrauensbeweis. Aber er hat sich geärgert, daß er sich gar so wichtig machen hat müssen, quasi kein weiteres Wort am Telefon, weil Lebensgefahr.

«Petting 69», hat der René gesagt. «An der Klingel steht Dr. Ogusake. Wie die zu ihrem Doktortitel gekommen ist, das errätst du nie.»

Jetzt das Gartentor war da, das Schild war da, die Klingel war auch da, nur der René war nicht da. Und sonst war auch kein Mensch da. Natürlich lästig, wenn es in Strömen gießt. Aber der Brenner jetzt gut aufgelegt, weil endlich das Kopfweh weg war, und obwohl er ohne Schirm im Regen gestanden ist, hat er sogar ein bißchen vor sich hin gepfiffen. Vielleicht daß ihn der Regenguß an das Duschen erinnert hat, wo der Mensch im allgemeinen gern pfeift.

Er hat noch ein paarmal geklingelt, man hat es sogar bis zum Gartentor heraus läuten gehört. Aber nichts da, entweder ist der René noch schnell einkaufen gegangen, damit er seinem Gast was auftischen kann, oder natürlich – bei diesem Gedanken hat der Brenner sich so lange auf den Klingelknopf gelehnt, daß man glauben hätte können, der tut nichts lieber als klingeln. Weil Verdacht: Der René liegt mit der Dr. Mary Ogusake im Bett.

Aber keine Reaktion, und damit er nicht komplett durchnäßt wird, hat er über das Gartentor gegriffen, den Schlüssel umgedreht und sich direkt vor die Eingangstür gestellt, wo ihn ein kleines Vordach vor dem Regen geschützt hat. Er hat an die kleine Fensterscheibe in der Haustür geklopft, aber natürlich, warum sollen sie das Klopfen hören, wenn sie das Klingeln nicht hören.

Dann hat er sich mit dem Rücken an die Haustür gepreßt, so ist er überhaupt kein bißchen naß geworden. Natürlich gefährliche Haltung, wenn von innen wer die Haustür aufmacht, liegst du im Vorhaus. Aber gleich Entwarnung, von innen hat niemand die Haustür aufgemacht.

Diese Möglichkeit hat der Brenner nach seinem Klingelkonzert sowieso schon ausgeschlossen.

Er hat nur noch die Straße hinauf- und hinuntergeschaut, ob nicht endlich der René mit seiner Philippinin daherkommt, mit einer vollen Einkaufstasche, vielleicht mit einer schönen Jause für den Gast. Weil alte Geschichte, nach einem Migräneanfall immer Hungeranfall, das ist ganz ähnlich wie bei den Mördern, die auch gern nach einem Mordanfall einen Freßanfall kriegen.

Und der Brenner jetzt sogar doppelten Grund für Appetit, weil nie schmeckt eine Jause besser, als wenn du dich vor einem Sauwetter in das Hausinnere gerettet hast. Aber von Hausinnerem überhaupt keine Rede. Er ist immer noch an der Haustür geklebt, und der Wolkenbruch ist so wild geworden, daß es ihm trotz Vordach schon wieder auf die Schuhe gespritzt hat.

Jetzt hat er doch noch einmal geklingelt, praktisch Strohhalm, vielleicht haben sie mich doch nicht gehört, aber eben nur Strohhalm, weil er hat die Klingel ja bis heraus gehört. Er hat sich noch gewundert, gar kein asiatisches Dingdong, sondern das penetrante Klingeln wie im Marianum, wie im Festspielhaus, wie in der Notapotheke und, und, und.

Aber der Regen hat jetzt fast lauter geprasselt als die Klingel, und durch die plötzliche Abkühlung hat die Erde richtig gedampft, daß dem Brenner wieder die Marmortafel von der früheren Wetteranstalt in den Sinn gekommen ist:

Gebilde gaukeln auf aus Wassergräben,
vielleicht Erinnerung an ein früheres Leben.

Oder ist ihm das erst eingefallen, wie er schon drinnen

war. Weil wie seine Schuhe schon im Stehen gequietscht haben, hat er die Türschnalle hinuntergedrückt, und natürlich große Verwunderung, die Tür nicht abgesperrt.

Der Brenner hinein, eigentlich hat er im Vorzimmer warten wollen, aber dann neugierig, hat er doch die nächste Tür auch noch aufgemacht, und ich glaube fast, da ist es ihm erst eingefallen. Die Zeile mit dem Dampf und mit dem früheren Leben. Schon sehr eindrucksvoll, muß ich ehrlich zugeben, wie die früher das Wetter beschrieben haben.

Obwohl, es ist im Grunde kein Wetterdampf gewesen, der im Wohnzimmer von der Mary Ogusake aufgestiegen ist. Sondern die über das Wohnzimmer verstreuten Leichenteile haben immer noch richtiggehend gedampft. Ich vermute, das war der Grund, daß dem Brenner auf einmal der alte Wetterbericht durch den Kopf gegeistert ist.

Und ein Kanal speit plötzlich feistes Blut
vom Schlachthaus in den stillen Fluß hinunter.

Kein Wunder, daß ihm ausgerechnet das wieder eingefallen ist, weil der Brenner hat sich jetzt übergeben müssen.

In Körben tragen Frauen Eingeweide, ist ihm durch den Kopf geschossen, während er seine Eingeweide entleert hat, direkt auf den Boden, aber vom Reinlichkeitsstandpunkt kein Problem, weil der ganze Boden war sowieso über und über voller, wie soll ich sagen: Eingeweide.

Das war die reinste Schlachtplatte aus zwei Personen. Aber bei Schlachtplatten kann man sich oft furchtbar täuschen. Weil im Gasthaus reicht die Schlachtplatte für eine Person meistens für zwei Personen, und die Schlachtplatte für zwei Personen reicht oft für vier Personen! Jetzt hat der Brenner erst bei näherem Hinsehen bemerkt, daß es sich nur um eine einzige Leiche handelt.

Natürlich kein Anblick für Götter, das gebe ich schon zu, oder höchstens für sehr böse Götter, die es ja auch geben soll. Weil erster Eindruck, als hätte ein außerirdisches Riesenküchenmädchen das winzige menschliche Küchenmädchen Mary für eine Suppeneinlage gehalten und entsprechend bearbeitet. Ein bißchen wie bei dem Seefahrer, der sich zu den Riesen verirrt hat, wo ich mich heute noch ein bißchen fürchte, wenn sie es im Kinderfernsehen wiederholen.

Aber Petting nicht Kinderfernsehen. Obwohl es von der Uhrzeit her gerade richtig für den Kindernachmittag gewesen wäre. Aber wenn der Brenner zur Abwechslung ein bißchen das Kinderprogramm hätte einschalten wollen, hätte er zuerst einmal den Fernseher abwischen müssen. Und wenn er sich zum gemütlichen Fernsehen aus der Küche ein Bier hätte holen wollen, dann hätte er zuerst die Hand des ehemaligen Küchenmädchens Dr. Ogusake von der Türschnalle entfernen müssen.

Weil in einem letzten Fluchtversuch muß die Philippinin noch versucht haben, bei der Küchentür hinauszukommen, und dem Brenner ist jetzt in seiner Aufregung vorgekommen, als würde die Hand des ehemaligen Küchenmädchens ein bißchen der Hand zuwinken, die der Sebastian Franz seinerzeit aus dem Tischfußballtisch gezogen hat.

Bier in dem Sinn hätte er jetzt sowieso keines trinken wollen. Sondern große Frage, wie er das Gegenteil verhindern soll. Und große Frage, wo der René war. Und große Frage, ob der René das frühere Küchenmädchen Mary so zugerichtet hat. Aber der Brenner hat sich diese Fragen nicht lange gestellt. Weil in so einer Situation macht man sich ja oft die unsinnigsten Gedanken. Jetzt der Brenner große Frage, wie das Wetter wird.

Oder sagen wir einmal so, der Wetterbericht von der Marmortafel hat ihm keine Ruhe gelassen:

Und ein Kanal speit plötzlich feistes Blut
und langsam kriecht die Röte durch die Flut.

Mein lieber Schwan. Der Jimi Hendrix ist an seinem eigenen Erbrochenen erstickt. Gar keine seltene Todesursache bei Bewußtlosen. Aber der Brenner ist ja bei vollem Bewußtsein zwischen den Eingeweiden gekniet. Also an und für sich eine gute Stellung für einen Erbrechenden. Jetzt wie gibt es so was, daß er trotzdem keine Luft kriegt? Er kniet da und versucht einzuatmen, aber nichts zu machen, es kommt keine Luft herein.

Jetzt natürlich Panik, ja was glaubst du, und auf und hinaus in den Garten. Aber wie er die Haustür aufreißt, immer noch keine Luft. Und wie er schon den ersten Schritt unter das Vordach hinaus macht, immer noch keine Luft.

Erst wie der Wolkenbruch mit vollem Karacho auf seinen Kopf heruntergescheppert ist, hat sich der Krampf gelöst, und die Luft ist in den Brenner hineingedonnert, als hätte der Blitz in den Garten der Mary Ogusake eingeschlagen.

Er hat noch minutenlang geschnauft wie ein Marathonläufer, dem im Ziel ein Mikrofon unter die Nase gehalten wird, und statt zu jubeln, japst er nur hilflos. Nur langsam ist er wieder zu Atem gekommen, hat sich aber immer noch nicht vor dem Wolkenbruch in Sicherheit gebracht. Und wie er dann schon längst wieder vollkommen normal bei Atem war, ist er immer noch dagestanden, als hätte ihn der Schlag getroffen.

Er ist einfach mitten im Garten der Mary Ogusake stehengeblieben, praktisch Freiluftdusche. Weil was ich dir vorher mit dem Tun erklärt habe: Er hat nicht gewußt, was er tun soll. Jetzt hat er darauf gewartet, daß vielleicht einmal der liebe Gott etwas tut und den Brenner im Regen auflöst wie ein unschuldiges Zuckerstück.

Aber nichts da. Er hat sich nicht aufgelöst. Und weil er sich nicht aufgelöst hat, und weil er irgendwas tun hat müssen, und weil er sich nicht in das Haus zurückgetraut hat, und weil er sich nicht aus dem Garten hinausgetraut hat, ist er einfach unter der Dusche stehengeblieben, und weil der Mensch dazu neigt, daß er unter der Dusche singt oder pfeift, hat er leise ein bißchen vor sich hin gepfiffen.

Ich glaube aber fast, daß er auch ein bißchen aus Angst gepfiffen hat. Oder so, wie man pfeift, um Gedanken zu vertreiben. Weil er hat jetzt unbedingt den Gedanken vertreiben müssen, daß es womöglich der René war, der die Mary so zugerichtet hat. Und ich tendiere fast dazu, daß ihm eigentlich wegen dieser Angst die Luft so brutal weggeblieben ist. Weil Ermordete hätte er an und für sich in neunzehn Polizeijahren schon genug gesehen.

Aber jetzt wieder genug Luft zum Pfeifen. Und durch den kalten Regen ist er sogar wieder soweit zu Bewußtsein gekommen, daß ihm aufgefallen ist, was er da gepfiffen hat. Weil eben diese alte Geschichte beim Brenner, daß er oft eine Melodie gepfiffen hat, wenn sein Unbe-

wußtes versucht hat, ihm einen kleinen Hinweis zuzu-
flüstern. Manchmal schon unglaublich, was ihm da so
über die Lippen gekommen ist. Weil diese alte Rocknum-
mer hat er bestimmt seit dreißig Jahren vollkommen vergessen gehabt.

I'm crazy about girls!
I'm crazy about women!

Aber so ist es mit dem Unbewußten. Es gibt dir nur
einen Hinweis, solange du ihn nicht bemerkst, und kaum
daß du einmal aufmerksam bist, Hinweis zum Vergessen.
Weil was soll das für ein Hinweis sein, hat sich der Brenner gefragt.

I'm crazy about girls!
I'm crazy about women!

Obwohl er sich über den unnützen Hinweis geärgert
hat, hat er munter weiter pfeifen müssen. Daß jemand
ein bißchen *crazy* sein muß, wenn er eine Frau so zurich-
tet, hätte er ohne großzügige Hilfe durch das Unbewußte
gerade noch erraten. Und ich muß auch ehrlich sagen,
Unbewußtes oft überschätzt, weil oft nur ein Wichtigtuer, der nicht viel mehr weiß als jeder andere auch.

Aber die Melodie nicht wegzubringen. Geklungen hat
es ja mehr, als würde er nur versuchen, die Regenbäche
aus seinem Gesicht wegzublasen, damit er ein bißchen
atmen kann.

Eine gute Melodie, hat er sich gedacht. Aber kein gu-
ter Hinweis. Und er hat überlegt, was er jetzt tun soll.
Nichts tun, haben sein Kopf und sein Körper und sein
Bewußtes und sein Unbewußtes und seine guten und
seine bösen Geister im Chor gerufen, nichts tun, und der
Regen ist auf ihn heruntergeklatscht und hat überhaupt

nicht mehr aufgehört, und langsam ist die Nässe von seinen Schuhen in seine Beine hinauf und von seinem Kopf
in seinen Körper hinunter und von seiner Haut in seine
Knochen hineingekrochen, und seine Knie haben losge-
rattert, Nähmaschine Hilfsausdruck.

Und seine Zähne haben seinem Unbewußten den Gar-
aus gemacht, frage nicht. Weil entweder Pfeifen oder
Zähneklappern. Beides kann kein Mensch.

10

Jetzt wirst du sagen, der René ist es bestimmt nicht gewesen. Und ich muß auch ganz ehrlich sagen, man will so etwas nicht glauben. Kaum hat man einmal einen kennengelernt, der Glas essen kann, will man ihn nicht gleich wieder hergeben, nur weil vielleicht der leichte Schatten eines Mordverdachts auf ihm liegt.

Die Polizei hat das leider anders gesehen. Die Nachbarn der Dr. Ogusake aus Petting 67 haben die Polizei gerufen, weil da ein Mann schon seit Stunden im strömenden Regen gestanden ist und sich die ganze Zeit keinen Schritt von der Stelle gerührt hat.

«Der Ren-», hat der Brenner gerade noch herausgebracht, weil wenn du mit 40 Grad Körpertemperatur ein «n» sprichst, bleibt natürlich gern die Zunge auf dem Gaumen kleben. Aber dann mit übermenschlicher Anstrengung die Zunge noch einmal vom Gaumen gerissen und laut und deutlich: «Der René.»

«Was für ein René?» hat ihn der bayrische Polizist angefahren.

Und siehst du, das sind eben die Kulturunterschiede. Weil in der österreichischen Polizeischule hat der Brenner gelernt: oberste Verhörregel immer höflich bleiben! Das ist ihnen vor allem vom Tschick-Jack regelrecht eingetrichtert worden. Bevor der Tschick-Jack als Lehrer in die Polizeischule versetzt worden ist, war er jahrzehntelang Spitzen-Verhörbeamter, aber dann *amnesty international* große Sache daraus gemacht, weil er ein- oder zweimal oder höchstens dreimal auf dem Rücken von einem Verbrecher seine Zigarette ein bißchen ausgedrückt hat, jetzt ab in die Polizeischule.

Und ob du es glaubst oder nicht, die ganze Zeit, wo der Brenner in der Polizeischule war, ist dem Tschick-Jack nie etwas Verbotenes über die Lippen gekommen, sondern immer ausdrücklich betont: Man soll beim Verhör so lange höflich bleiben, solange es nur geht. Und sogar alter Trick: Dem Verdächtigen eine Zigarette anbieten, praktisch Verbrüderung! Und vielleicht sogar, daß seine Kritiker das verwechselt haben, daß er nur wegen dieser höflichen Geste Tschick-Jack geheißen hat, und alles andere nur krankhafte Phantasie!

«Was für ein René!» hat der bayrische Polizist, der leider ohne die Tschick-Jack-Regel ausgebildet worden ist, wieder gebrüllt. Der hat ja den Brenner nicht gekannt, jetzt natürlich erster Gedanke, der Brenner selber ist der Fleischermeister.

«Was! Für! Ein! René!»

Das haben die Polizisten dann selber herausfinden müssen. Weil den Brenner hat das Fieber aufgeheizt, als wäre dem Tschick-Jack vor lauter freundlich lächeln eine glühende Zigarette aus dem Mund gefallen, oder sagen wir so: Die Regentropfen haben sich angefühlt, als wären dem Tschick-Jack alle zeitlebens gerauchten Zigaretten auf einmal aus seinem freundlich lächelnden Mund gefallen und glühend auf den Körper vom Brenner geprasselt.

Aber die deutsche Polizei natürlich ganz tüchtig, die hat sich auch ohne die Antwort vom Brenner sehr schnell ihren Reim gemacht. Weil Computer und alles, haben sie nach ein paar Stunden schon mehr gewußt, als ihnen der

Brenner jemals hätte sagen können. Sie haben ja die blut-
verschmierte Jacke vom René mitten unter den Leichen-
teilen gefunden, Fingerabdrücke haufenweise, die Nachbarn haben ihn gesehen, und so viele Menschen mit dem
Namen René gibt es nicht in der Kartei.

Das hat der Brenner aber alles nicht mehr mitgekriegt.
Weil Fieber oft wunderbare Sache. Er hat nicht mitgekriegt, wie ihm ein bayrischer Tschick-Jack im Polizei-
gefängnis von Freilassing herausgelockt hat, daß er für
das Marianum arbeitet. Er hat nicht mitgekriegt, wie der
Sportpräfekt Fitz aufgetaucht ist und ihn heimgebracht
hat. Und er hat nicht mitgekriegt, wie sie ihn im Marianum in den Krankentrakt hinaufgeschleppt haben.

Das war gar nicht so einfach, weil der Krankentrakt
im Marianum weit weg von den Schlaf- und Studier-
räumen, und ob du es glaubst oder nicht, in den ist man
nur durch die Dachkirche gekommen, und dann hinter
der Kirchensakristei wieder einen halben Stock hinunter,
dann war man im Reich der Kranken. Und wenn so ein
Marianumskind krank geworden ist, hat es sich zuerst
einmal die vier Stockwerke in den Dachboden hinauf-
kämpfen müssen, dann die gespenstisch leere Kirche
durchqueren, und die letzte Stiege in den Krankentrakt
hat man sich dann notfalls ja auch hinunterfallen lassen
können.

Aber der Brenner hat sich schön tragen lassen, der
Sportpräfekt und der Haustischler haben ihn gemeinsam
geschleppt. Im Krankentrakt hat man ihn in so eine
Art Militärbett gelegt, aber nicht Weltkrieg, sondern das
muß schon mindestens, sagen wir, Napoleonzeit gewesen
sein oder meinetwegen Kreuzzüge. Und die Kranken-

schwester ist noch älter als das Militärbett gewesen, weil Runzeln im Gesicht wie diese Schießscharten in den alten Burgen. Aber trotzdem immer noch flott unterwegs wie die reinste Kanonenkugel, besser kann man es nicht ausdrücken.

Und tonmäßig auch mehr Feldwebel als Kranken-schwester. Weil wenn ich gesagt habe, hinter der Dach-kirche war das Reich der Kranken, dann nicht ganz richtig ausgedrückt, weil eigentlich das Reich der Kran-kenschwester, sprich Geisterreich. Weil sie war ja die einzige Schwester im Marianum, darum Schwester und Mutter Oberin in einer Person, alle Kolleginnen schon vor Jahren befördert, praktisch noch einen Stock höher als Dachkirche.

Und auch wieder nicht ganz richtig ausgedrückt. Weil daß es im Krankentrakt ein bißchen jenseitig zugegan-gen ist, war weniger die Schuld der Mutter Oberin. Da muß ich ganz ehrlich sagen, das war eigentlich mehr dem Brenner seine Schuld.

Weil sein Fieber ist genauso schnell verschwunden, wie es gekommen ist. Am nächsten Tag war er schon wie-der komplett fieberfrei. Aber so was hat die Mutter Obe-rin in ihren hundertfünfzig Dienstjahren noch nicht er-lebt! Obwohl der Mann fieberfrei war, hat er weiter simuliert, als hätte er Fieber. Der Brenner ist einfach Tag für Tag in seinem Bett liegen geblieben, hat die Zimmer-decke studiert und mit niemandem auch nur ein einziges Wort geredet. Und dabei ist auf der Zimmerdecke gar nicht «Silentium!» gestanden. «Silentium!» ist ja handge-stickt und schön eingerahmt neben der Tür gestanden. Und noch dazu falsch geschrieben, weil «Silenzium!», das muß einmal ein Schüler gewesen sein, der lieber gestickt als Latein studiert hat.

Aber der Brenner hat die Stickerei nicht eines Blickes gewürdigt, weil nur Zimmerdecke interessant. Und Tür nur Störungen des heiligen Friedens, nur störendes Aus- und-Ein-Huschen der ewig flüsternden und wispernden Mutter Oberin.

Also keine große Sympathie zwischen den beiden Personen, das muß ich ganz ehrlich zugeben. Fast möchte ich sagen, ein bißchen negative Energie zwischen dem schweigenden Mannsbild und dem wispernden Gespenst in Klostertracht. Und jeden Tag hat die Klosterschwester ihrem fieberfreien Patienten seine Kopfkissen noch ein bißchen zackiger aufgeschüttelt, aber der Brenner keinen Mucks. Er hat sie nicht einmal bemerkt. Und er hat mit niemandem geredet. Nicht mit der Mutter Oberin, nicht mit der Polizei, nicht mit dem Regens.

Ich stelle mir das vor wie bei einem Elektrogerät. Daß irgendein Kontakt sich löst, dann kannst du dich auf den Kopf stellen, das Gerät geht nicht mehr, obwohl es äußerlich vollkommen intakt wirkt, und so einen Effekt muß das Erlebnis in Petting auf den Brenner gehabt haben.

Ich muß zur Verteidigung der Schwester sagen: Sie hat geglaubt, der Brenner ist nur ein bißchen in den Regen gekommen, mehr hat man ihr nicht gesagt. Sie hat ja überhaupt keine Vorstellung gehabt, daß der Brenner da oben nicht nur die Zimmerdecke sieht, sondern praktisch Kinoleinwand. Sie hat ja nicht wissen können, daß der Brenner auf dem Plafond immer wieder sieht, wie das Küchenmädchen dampft.

Und sie hat nicht wissen können, daß der Brenner da oben die Wohltätigkeitsrede des Monsignore Schorn sieht. Schön säuberlich getippt, mit ein paar handschriftlichen Korrekturen am Rand. Genau so, wie er sie auf der Rückfahrt von Petting im Auto des Präfekt Fitz herumliegen gesehen hat. Weil nicht nur Politiker lassen sich ihre Reden von anderen schreiben. Ein Bischofskandidat hat ja auch nicht die Zeit, daß er sich jede Rede selber schreibt, und da haben sich eben Gestalten wie der Präfekt Fitz ein bißchen was dazuverdient. Jetzt natürlich große Frage, wer von den beiden dem Brenner das Ohr hineingelegt hat.

Vielleicht war auch das ein bißchen mit der Grund, daß der Brenner überhaupt nichts gehört hat in seinem Zustand. Außer ununterbrochen seinen Ohrwurm, sprich: *Crazy about girls, crazy about women.* Aber das hat die Mutter Oberin natürlich auch nicht wissen können.

Totale Eskalation aber erst am fünften oder sechsten Tag, wie der Brenner einmal sein durchgeschwitztes Pyjamahemd abgestreift und mit nacktem Oberkörper weitergeschlafen hat. Die Kreuzzugssanitäterin hat einen Anfall gekriegt, frage nicht.

«Wenn wir daliegen wie ein Fleischmarkt im Badeanzug, werden wir bis zum Jüngsten Tag nicht gesund!» hat sie den Patienten angezischt, der sich in Schweigen gehüllt hat statt in einen ordentlichen Pyjama.

Ein Fleischmarkt im Badeanzug! Ich tendiere fast dazu, daß die Klosterschwester das wirklich gesagt hat, weil nicht leicht, daß so was ein normaler Mensch träumen kann. Dürfte natürlich schon der spezielle Oberkörper vom Brenner auch eine gewisse Rolle gespielt haben.

Nicht unnatürlich muskulös wie der René, will ich gar nicht übertreiben. Aber er hat genau den gleichen Oberkörper wie sein Großvater gehabt, dem bei jedem Hemd immer die obersten zwei Knöpfe gefehlt haben. Nur damit du verstehst, warum die Mutter Oberin gar so aggressiv reagiert hat. Weil oberstes Schwesternprinzip, der Teufel schläft nicht.

Wenn du einen Menschen mit Schweigeschock behandelst, sind solche aggressiven Äußerungen an und für sich das Schlechteste, was du machen kannst. Da würde im Grunde ebenfalls die alte Tschick-Jack-Regel gelten. Weil ein Patient ist ja auch immer ein bißchen ein Verdächtiger. Und eine aggressive Äußerung, und er verkriecht sich schon wieder in seiner eigenen Welt, Schnecke nichts dagegen.

Aber beim Brenner Heilungserfolg postwendend. Irgendwie muß sich der Fleischmarkt im Badeanzug bis in sein Hirn durchgesprochen haben, weil er auf einmal laut herausgelacht hat.

«Uns wird das Lachen schon noch vergehen!» hat die Mutter Oberin wütend gezischt und ist hinaus bei der Tür. Ich muß sagen, kann ich sogar verstehen, weil sie hat sich ausgelacht gefühlt. Zuerst eine Woche lang kein Wort, und dann von einem Brust-Eigentümer ausgelacht werden, auch kein Vergnügen. Eigentlich tragisches Mißverständnis, statt daß sie es als ihren Erfolg angesehen hätte. Weil mit diesem Lachanfall ist das Hirn vom Brenner dann langsam wieder angesprungen.

Aber interessant. Der Brenner im Grunde schon eine sehr gesunde Natur. Er muß in der einen mehr oder weniger bewußtlosen Woche das furchtbare Erlebnis in Petting so gut verdaut haben, daß er beim Aufwachen schon wieder ganz andere Sorgen gehabt hat. Weil die Atmosphäre und die Langeweile im Krankentrakt bei vollem Bewußtsein fast unerträglich. Nicht einmal eine Zeitung oder eine normale Zeitschrift ist hier aufzutreiben gewesen, nur Missionszeitschriften und Heiligenkalender und Meditationsbücher, wenn du mich fragst, kannst du damit einen Gesunden so weit bringen, daß ihn die Malaria dahinrafft.

Umgekehrt für einen Detektiv Langeweile oft nicht einmal das Schlechteste. Weil nur aus der Langeweile kommen die besten Gedanken. Ich persönlich glaube, ohne Langeweile hätte der Mensch überhaupt nichts erfunden, keine Mondlandung, keinen Reißverschluß, keine perversen Sexspiele mit Reißverschlüssen an den unmöglichsten Stellen, nichts! Und das beste an der Langeweile ist, daß sie immer größer wird, je mehr die Leute dagegen erfinden.

Aber beim Brenner wieder einmal alles anders. Der hat nicht vor Langeweile Sachen erfunden, sondern der hat jetzt vor lauter Langeweile ein bißchen die Realität an sein Krankenbett herangelassen. Und vor lauter Langeweile hat er sich nach und nach an die Leute erinnert, die in der letzten Woche bei ihm einen Krankenbesuch gemacht haben. Aber eigentlich nicht an die Leute, sondern nur an ihre Stimmen. Aber eigentlich nicht nur an die Stimmen, sondern auch an das, was sie zu ihm gesagt haben.

«Ruhen Sie sich nur aus, solange Sie brauchen. Ich möchte Ihnen nur sagen, daß Ihnen niemand schuld an dem Vorfall gibt.» (Die butterweiche Stimme vom jungen Regens.)

«Verstecken Sie sich nicht, Brenner! Sie wissen genau, daß Sie mit schuld daran sind, daß der schwer vorbestrafte Renoldner die Mary Ogusake ermordet hat.» (Kripo-Stimme)

Renoldner. Da hat der Brenner jetzt vor lauter Langeweile im Krankenzimmer kombiniert, daß «René» ein Spitzname für Renoldner sein muß. Aber Spitzname im Kripo-Archiv natürlich wichtiger als echter Name, jetzt hat ihnen der Hinweis vom Brenner trotzdem genügt. Die Kripo hätte eben gern noch eine richtige Aussage vom Brenner gehabt, kann man auch verstehen, weil da hält so ein Schweiger natürlich die ganze Arbeit auf.

Der Beamte muß ziemlich eindringlich auf ihn eingeredet haben, weil jetzt war es im Kopf vom Brenner wie eingraviert: «Du brauchst dich nicht schlafend stellen, Brenner! Wir wissen ja sowieso alles. Wir haben die blutige Jacke vom Renoldner gefunden, seine Fingerabdrücke. Den Nachbarn in Petting ist er auch aufgefallen. Gar kein Zweifel möglich. Wir wollen nur von dir wissen, wo der Bursche steckt.»

Gar kein Zweifel möglich. Da hat der Brenner jetzt schon ein bißchen am Verstand des Kripo-Beamten zweifeln müssen. Vom Tschick-Jack hat der auch noch nie was gehört gehabt, weil unfreundlich bis dort hinaus.

Der Regens dafür um so freundlicher, der hat sich sogar für die unfreundlichen Kriminalbeamten entschuldigt: «Sie wollen eben unbedingt erfahren, wo der Verdächtige steckt. Ich muß sagen, mir fehlt hier jeder Jagdinstinkt. Mich würde etwas anderes viel mehr interessieren. Wie Sie das mit der Dr. Ogusake herausgefunden haben.»

Weil der Regens muß geglaubt haben, er kann den Brenner mit interessanten Fragen aus seiner Erstarrung herauslocken. Aber nichts da, der Brenner hat die Fragen ja nicht einmal gehört. Nur jetzt im nachhinein hat er sie aus seinem Kopf hervorgekramt, damit er nicht an der Altersheim-Atmosphäre von diesem Internatskrankenzimmer verrecken muß. Und da hat es ihn wirklich sehr interessiert, was der Herr Regens ihm vor drei Tagen erzählt hat:

«Daß Dr. Ogusake nicht ihr Titel war, sondern der Doktortitel ihres verstorbenen Mannes, das haben zwar ihre Nachbarn auch gewußt. Aber warum der alte Mann bei der Hochzeit den Familiennamen unseres ehemaligen Küchenmädchens Mary Ogusake angenommen hat, das weiß kaum jemand. Es würde mich wirklich interessieren, wie Sie das herausgefunden haben.»

Nichts da, der Brenner hat sich von dieser Frage nicht aufwecken lassen. Aber im nachhinein hat er zugeben müssen, daß es eine interessante Frage war. Und das ist wieder einmal ein gutes Beispiel für das, was ich immer sage. Oft erfährst du von einer Frage hundertmal mehr als von einer Antwort. Weil der Brenner hat das ja gar nicht gewußt, was ihm der Regens da erzählt hat. Der René hat es gewußt, aber er hat es ihm am Telefon ja nicht erzählen wollen.

«Es ist ja auch schon fünfzehn Jahre her, seit der Dr. Guth unser Küchenmädchen geheiratet hat. Dr. *Phil.* Guth, muß ich sagen. Darauf legte er immer großen Wert, da es ihn von seinem Vater unterschieden hat, dem berühmten Primarius Dr. Guth. Die Probleme mit dem eigenen Namen haben aber offenbar zu diesem Menschen gehört. Zuerst versuchte er, sich durch das Phil. eine Identität zu geben. Und dann gab er seinen Namen völlig auf.»

Ich muß sagen, kein großes Rätsel, daß ein Mensch mit so einem Namen Probleme hat. Weil wenn du so heißt, kannst du darauf wetten, daß sie dir am Schulhof «Böse» oder sonst was nachrufen. Aber das war es nicht, worauf der Regens hinauswollte.

«Auch wenn diese Geschichte gar nichts mit unserem Auftrag zu tun hat: Aus reiner Neugier wüßte ich wirklich gern, wer Sie darauf gebracht hat. Der Dr. Phil. Guth hat jahrzehntelang vorbildliche Arbeit für unsere Kirchengemeinschaft geleistet. Er hat das Institut gegründet und viele vorbildliche Ehen gestiftet. Aber es war doch nicht seine Privatangelegenheit. Für ein kirchliches Institut gelten strengere Regeln als in der Privatwirtschaft. Es ist einfach unzulässig, daß sich der Leiter eines solchen Instituts in seine eigene Klientin verliebt.»

Der Brenner hat jetzt etwas gehört. Nicht in seiner Erinnerung, er hat zum ersten Mal seit einer Woche wirklich etwas gehört. Er hat gehört, wie vor seiner Krankenzimmertür draußen die Mutter Oberin herumgegeistert ist. Das war ein Zischeln und ein Murmeln und ein Rascheln, das dem Brenner auf einmal unnatürlich laut vorgekommen ist. Weil wenn du eine Woche lang überhaupt nichts gehört hast, kommt dir das unhörbarste Flüstern laut vor. Das ist, wie wenn du monatelang keinen Zucker ißt, da kriegst du auch irgendwann keinen Kuchen mehr hinunter, ohne daß dir die Zunge am Gaumen kleben bleibt, und das ist wieder ganz ähnlich dem Gefühl, wenn du mit 40 Grad Fieber versuchst, «René» zu sagen.

Wie das Rascheln endlich aufgehört hat, hat er wieder den Regens in seinem Kopf gehört: «Der Bischof hat ihn mehrmals aufgefordert, die illegale Beziehung zu unserem minderjährigen Küchenmädchen Mary abzubrechen. Tragischerweise stellte sich heraus, daß er das Mädchen wirklich liebte. Sonst hätte der alte Mann wohl kaum das Institut aufgegeben, um das Mädchen zu heiraten. Er hat die Stadt verlassen und ihren Namen angenommen. Das ist alles lange her, und der arme Dr. Phil. Guth ist schon seit Jahren tot. Und die Mary ist jetzt auch tot. Doch sein Institut floriert hervorragend. Das war seine Leistung, er hat es aufgebaut. Es sind die Werke, die von einem Menschen bleiben. Das ist der wichtigste Glaubensgrundsatz, der uns von den lutheranischen Glaubensfrömmlern unterscheidet. Die Werke zählen. Nicht der Glaube. Die Werke.»

Jetzt hat ihn schon wieder das Rascheln vor der Zimmertür aus seinen Gedanken gerissen. Unglaublich, daß so eine dürre Klosterschwester bei jeder Bewegung so laut rascheln kann! Er ist wütend aufgesprungen, damit er endlich nachschauen kann, was die Schwester da draußen eigentlich macht. Natürlich nach einer Woche Bettruhe derart schwach auf den Beinen, daß er sich sofort am eisernen Bettrahmen festgeklammert hat. Aber er hat es jetzt wissen müssen. Weil wenn du wenigstens weißt, wo ein Rascheln herkommt, macht es dich schon nicht mehr so verrückt.

Er hat die Tür aufgerissen, und dann ein Schrei, wenn du dir dein Bein vorstellst, das besteht ja nicht nur aus Fleisch, da ist innen der Knochen, und der Knochen besteht auch nicht nur aus Knochen, sondern da ist innen das Mark, und wenn du dir jetzt einen Schrei vorstellst, der dir da hineinfährt wie eine Rasierklinge, durch Mark und Bein, wie man so schön sagt, so ein Schrei ist das gewesen.

Aber nicht von der Mutter Oberin und auch nicht von dem Skelett, das da am Gang gestanden ist, praktisch medizinische Demonstration, und wir beten nicht nur für deine Gesundheit. Der Schrei ist von dem Sandler gekommen, der gerade den Schrank auf der Krankenstation durchsucht hat. Du mußt wissen, Sandler haben ja oft furchtbar schlechte Nerven, weil keine Vitamindrinks, keine Spurenelemente, keine Mineralstoffe, jetzt hat der diesen fürchterlichen Schrei abgelassen, nur weil hinter ihm eine Tür aufgegangen ist, obwohl er vorher die Mutter Oberin weggehen gesehen hat.

«Mensch, hast du mich erschreckt!» hat der Dieb den Brenner angefahren. «Hast du mich erschreckt!» Aber er war mehr erleichtert als böse, weil er den Brenner auch für einen Sandler gehalten hat. Und wenn der Brenner vorher in den Spiegel geschaut hätte, hätte er auch verstanden, wieso. Nach einer Woche im Bett siehst du eben nicht aus, als wenn dich deine Mutti gerade frisch gekämmt in den Erstkommunionsanzug gesteckt hätte.

«Was machst du denn da?» hat der Brenner gefragt. Die ersten Worte nach einer Woche, da war seine Stimme ein bißchen wie das ganz grobe Schleifpapier von seinem Großvater.

Und der andere mit leuchtenden Augen, quasi von Kollege zu Kollege: «Schau dir das einmal an! Schau dir das an.»

Er hat auf den offenen Schrank gedeutet, den er gerade durchwühlt hat. Aber nicht Medikamente. Der Schrank war von oben bis unten vollgestopft, aber nicht eine einzige Tablette.

«Plastiktaschen?» hat der Brenner sich gewundert. Da hat ihm vielleicht wirklich ein bißchen die Begeisterungsfähigkeit gefehlt, weil im Lauf der Jahrzehnte haben die Klosterschwestern hier das reinste Plastiktaschen-Museum angelegt.

«Alte!»

«Verstehe», hat der Brenner verständnislos gesagt.

«Alte Plastiktaschen! Zwanzig, dreißig Jahre alte sind da darunter!»

Der Brenner hat es immer noch nicht kapiert, und das hat ihn natürlich verraten. Weil wenn du dir als Obdachloser auch die letzten Hirnzellen wegsäufst, eines vergißt du nicht: Daß die alten Plastiktaschen um Eckhäuser besser sind als die neuen, weil natürlich, der Umweltgedanke hat die Plastiktaschen ruiniert.

«Wer bist denn du? Wer bist du denn überhaupt?» hat der Sandler mißtrauisch gefragt.

«Paß auf, wenn du mir das mit den Plastiktaschen genau erklärst, laß ich dich gehen, ohne daß die Mutter Oberin was erfährt.» Schön langsam hat sich seine Stimme wieder normalisiert, sprich mittleres Schleifpapier. «Warum fragst du nicht unten in der Küche nach einer Plastiktasche, wenn du eine brauchst?»

«Das hab ich dir doch gerade erklärt! Muß man dir alles zweimal sagen? Da haben sie ja nur die raschelnden weißen Umwelttaschen. Hast du schon jemals einen Sandler mit so einer wertlosen Rascheltasche gesehen?»

«Die hier rascheln aber auch, ich hab es bis hinein gehört.»

«Ja, weil neue auch darunter sind. Aber die alten sind so ölig!» hat der Sandler ihn angestrahlt, als würde er von einem Festmahl erzählen, «da hörst du kein Rascheln! Die alten sind richtig schmierig. Die halten ewig. Die neuen halten nicht einmal eine Woche. Besonders die weißen Rascheltaschen, die sie unten in der Küche haben. Wenn einer bei uns mit so einer Tasche daherkommt, weiß ich sofort, das ist nur ein Sozialarbeiter. Englisch: *streetwork*!» hat der Sandler gelacht. «Die verkleiden sich gern als Sandler. Aber an den schlechten Plastiktaschen erkennst du sofort, es ist nur ein Bankdirektor, der in der Freizeit ein bißchen *streetwork* macht.»

Du mußt wissen, die Wirtschaftsbetrüger, Konkursmanager, Privatbankiers, diese ganze Gattung eben wird heute oft nicht mehr ins Gefängnis gesteckt, weil der Staat sagt: Ich kann den schlechten Einfluß auf die anderen Häftlinge nicht verantworten. Sondern Tatausgleich, da verlangt das Gericht, mach ein paar Wochen Sozialarbeit, und dann sind wir wieder gut.

«Das gilt aber nicht für alle, daß sie die weißen Plastiktaschen nicht verwenden», hat der Brenner sich getraut, dem Fachmann zu widersprechen.

Der Sandler hat gelacht, natürlich kein Zahn weit und breit, aber der Brenner hat schon lange niemanden mehr so unverschämt lachen gesehen. Und seit er von der Kripo weg war, hat zu ihm niemand mehr in einem derart herablassenden Singsang gesagt: «Er versteht es nicht! Er versteht es immer noch nicht!»

Er hat schon Angst gehabt, daß ihm der Sandler einen

philosophischen Vortrag hält, wie es bei dieser Berufs-
gruppe groß in Mode ist. Aber der hat Gott sei Dank nur
den Kopf geschüttelt und mit glasigen Augen gesagt:
«Die alten kann man anzünden und schnüffeln, wenn sie
kaputt sind. Die neuen haben ja überhaupt keinen Ge-
halt mehr.»

«Dein Kollege hat jedenfalls nur weiße Säcke verwendet, wie er vor drei Wochen die Leiche verpackt hat.
War das auch ein Sozialarbeiter?»

«Der und ein Sozialarbeiter!» hat der Sandler gelacht. «Der hätte sich aber lange verstellt. An seinem
siebenundvierzigsten Geburtstag hab ich ihn am Bahnhof kennengelernt. Und jetzt ist er gerade fünfzig geworden.»

«Der ist erst fünfzig gewesen?»

«Hat jünger ausgesehen, gell?» hat der Zahnlose gelacht.

«Und hat er ihn wenigstens noch erlebt, seinen Fünfziger?»

«Erlebt ist gut!» hat der stinkende Sandler nicht mit
dem Kichern aufhören können. «Erlebt ist gut!»

«Ich werde auch bald fünfzig», hat der Brenner zugegeben, vielleicht ein bißchen auf der lebensbetrachteri-
schen Seite nach der schweren Krankheit.

«Hoffentlich erlebst du es.»

«Es kommt immer darauf an, wie man es erlebt.»

«Der Wetteransager hat es erlebt und nicht erlebt.»

«Wirst du jetzt philosophisch?»

«Ich weiß es so genau, weil ich ihn an seinem siebenundvierzigsten Geburtstag am Bahnhof kennengelernt
habe. Da hat er sich niedergesoffen und gesagt, an mei-

nem Fünfziger häng ich mich auf.» Der Zahnlose hat gelacht, als hätte er noch nie so einen Blödsinn gehört.

«Und an seinem achtundvierzigsten hat er sich am Kapuzinerberg niedergesoffen und gesagt, an meinem Fünfziger häng ich mich auf, und voriges Jahr hat er sich gleich da oben beim Vogelhaus niedergesoffen und gesagt, nächstes Jahr häng ich mich auf.»

«Hat der alles dreimal gesagt?»

«Heuer hat er den Schlüssel vom alten Duschtrakt gestohlen und gesagt: Ich habe so lange im Dreck gelebt und möchte mich wenigstens an einem sauberen Ort aufhängen.» Der Zahnlose hat über diesen guten Witz gelacht, nicht direkt philosophisch, mehr Vollidiot. «Aber der hat gelogen», hat der Sandler mitten in sein Gelächter hinein nachdenklich gesagt.

«Hat er sich nicht selber aufgehängt?»

«Freilich aufgehängt! Das weißt du doch. Aufgehängt schon. Aber er hat es nicht wegen der Sauberkeit getan. Sondern weil er früher Wetteransager war. Der hat sich nur an einem Ort aufhängen wollen, wo er bestimmen kann, ob es regnet oder nicht!» hat der Sandler gelacht, daß der Brenner ihm am liebsten seinen blöden Grinser aus dem Gesicht gewischt hätte.

«Und der hat Geburtstag gehabt?»

«Glaubst du, er hätte sich Anfang Juli aufgehängt, wenn er im November Geburtstag hat?»

«Verschwinde jetzt», hat der Brenner gebrummt.

«Er begreift es nicht», hat der Sandler wieder seinen Singsang angestimmt, während er davongeschlurft ist. «Er begreift es nicht!» Weil das war eben wieder für ihn unbegreiflich, daß der Brenner wirklich glauben kann, einer von seinen Kollegen würde sich mit dreiundzwanzig weißen Taschen abgeben.

Der Sandler ist in Richtung Kirche weggegangen, und wie er am medizinischen Skelett vorbeigekommen ist, hat er salutiert und gesagt: «Herr Oswald! Abtreten!»

Aber interessant, wie der Brenner die Tür zum Waschraum aufgemacht hat, war der Sandler wieder da. Oder sagen wir einmal so. Im Waschraum hat sogar die Mutter Oberin einen kleinen Frisierspiegel zugelassen, in dem der Brenner sich jetzt nach einer Woche fast nicht wiedererkannt hätte. Er ist über den Anblick nicht besonders erfreut gewesen und hat blöd in den Spiegel hineingegrinst: «Er begreift es nicht, hahaha!»

Daß es nicht der Wetteransager war, der den Gottlieb eingepackt hat, war nicht so schwer zu begreifen. Aber er hätte gern begriffen, wer es dann wirklich war, der den Gottlieb und die Mary Ogusake auf dem Gewissen gehabt hat.

Er war jetzt hellwach, weil sieben Tage schlafen, das ist so erfrischend, quasi neugeboren. Und nach einer Viertelstunde hat er auch wieder halbwegs zivilisiert ausgesehen, weil aus irgendeinem Grund hat die Mutter Oberin ein Rasierzeug im Waschraum herumstehen gehabt, will ich jetzt gar keine Vermutungen anstellen, wozu sie das gebraucht hat, eventuell für die Zähne.

«Er begreift es nicht!» hat er beim Rasieren noch ein paarmal in den Spiegel hineingemault, «er begreift es nicht!»

Er hat sich gefragt, warum das Skelett da draußen ausgerechnet Oswald heißt. Warum nicht Hansi, Toni oder Johnny, warum nicht Nicole oder Natascha? Die richtige

Lösung nicht schwer zu erraten, weil Humanismus im Marianum nicht auszurotten, sprich *os* lateinisch der Knochen, darum «Oswald» für den Knochenmann. Eigentlich, muß ich sagen, hätte der Brenner mit seiner Puntigamer Matura das ruhig wissen dürfen.

Und überhaupt nichts zu tun hat es mit dem Mörder vom John F. Kennedy gehabt, an den der Brenner jetzt die ganze Zeit gedacht hat. Und ich muß sagen, Gott sei Dank hat er da falsch getippt. Weil immer wieder interessant, daß etwas Falsches gern zu etwas Richtigem führt.

Wie er es dann endlich begriffen hat, muß er aber ein bißchen erschrocken sein. Weil er hat sich derart in die Oberlippe geschnitten, daß sein Blut in dicken Tropfen in das blitzend weiße Waschbecken gefallen ist. Und dann natürlich Schicksal voller Lauf.

II

Ich muß sagen, die drei Blutstropfen im weißen Waschbecken fast ein bißchen wie im alten Märchen, weil jeder
einzelne von den drei roten Punkten ist dann für eine
ekelhafte Entwicklung der Ereignisse gestanden.

Punkt 1:

Der Brenner hat in seinem Hilfspräfektenzimmer das
Personalfoto mit den ausgeschnittenen Gesichtern gesucht, das er damals am Müllberg hinter der Tischlerei
gefunden hat. Damit ist er in die Haustischlerei und hat
den Tischler ausgequetscht. Also nicht im wörtlichen
Sinn, sondern eben ausgefragt. Das Ergebnis war aber so
immer noch unappetitlich genug.

Paß auf, der Haustischler hat dann zugegeben, daß er
die Gesichter der Philippinen-Mädchen herausgeschnitten und in sein Sexheft über die Gesichter der Haupt-
darstellerinnen geklebt hat. Eigentlich keine blöde Idee,
muß ich ehrlich sagen. Den Brenner hat aber gar nicht
das Sexheft interessiert. Er hat ja nur die Namen der
Mädchen gebraucht. Und das Heft hat er ihm nur weg-
genommen, weil er ihn vorher noch gezwungen hat, daß
er zu jedem Gesicht den Namen dazuschreibt.

Punkt 2:

Der Brenner ist zur Wohltätigkeitswitwe auf den Kapuzinerberg hinauf. Weil das war die einzige, wo er sich
sicher war, daß sie wirklich wissen will, wer ihren Gottlieb auf dem Gewissen hat. Er hat sie gebeten, sich einen
Namen aus der Liste vom Haustischler herauszusuchen.

Die Witwe: «Aber das ist ja ein furchtbares Heft.»

Der Brenner: «Einen Namen.»

Die Witwe: «Wendy Li ist der einfachste.»

Der Brenner: «Gut, nehmen Sie Wendy Li.»

Die Witwe: «Und jetzt?»

Der Brenner: «Fragen Sie unter dieser Nummer, ob Wendy Li in einer Stunde ins Festspielhaus kommen könnte.»

Die Witwe: «Unter dieser Nummer?»

Weil natürlich. Es ist ihre eigene Nummer gewesen. Drüben in der Mönchsberg-Villa. Wo dem Brenner damals ein asiatisches Mädchen fast die Tür aufgemacht hätte, wenn die Angorakatze sie nicht so herrisch zurückgepfiffen hätte. Und im Sexheft vom Haustischler hat der Brenner das Mädchen dann wiedergesehen.

Da mußt du dir den Brenner wie eine alte Rangierlok vorstellen. Nicht leicht anzuschieben, aber wenn er einmal gerollt ist, Widerstand zwecklos. Hat die Witwe also drüben in ihrem eigenen Haus die Angorakatze angeklingelt und nach der Wendy Li gefragt. Geht in Ordnung, hat die Angorakatze geschnurrt.

Jetzt die Flugzeuge sind heute schon sehr schnell, aber in einer Stunde kommst du nicht von Asien nach Salzburg herüber.

Punkt 3:

Er ist zum Kapitelplatz marschiert und hat bei der Heiratsagentur Dr. Phil. Guth geläutet. Weil er hat den Waldbrand fragen wollen, warum auf einmal Kündigungsgelüste. Aber es war niemand im Büro. Kein Ergebnis natürlich oft auch ein Ergebnis, nur hat das der Brenner in dem Moment noch nicht wissen können. Er ist nur

vor der verschlossenen Tür gestanden und hat sich gewundert, wie still es in dem ganzen Haus war.

Hundert Meter weiter dafür Mordslärm. Beim Fräulein Schuh hat das Haustelefon aus der Felsenreitschule
geklingelt, grundlos mitten am Nachmittag. Da hat das
Fräulein Schuh sofort dieses spezielle Gefühl gehabt. Ich
möchte nicht sagen Erregung, aber ein bißchen ding. Da
hätte ihr die Putzfrau am Telefon gar nicht mehr sagen
müssen, daß wieder einmal ein Toter in der Felsenreitschule liegt. Das hat sie schon gespürt.

Sie hat nervös die Schlüssel für die tausend Durch-
gangstüren zur Felsenreitschule gesucht, ist dabei zufällig
an der Cointreau-Flasche vorbeigekommen, und dann ist
sie so langsam Richtung Felsenreitschule geschlichen,
daß man glauben hätte können, sie macht gar keine
Schritte, sondern ihr Kniezitterer vibriert sie langsam
hinüber. Grund zur Eile hat keiner bestanden, das hat sie
aus jahrzehntelanger Erfahrung gewußt. Weil natürlich,
die siebzig Meter freien Fall hat noch keiner überlebt.
Mit der einen Ausnahme natürlich. Mit der dieser ganze
siebte Sinn beim Fräulein Schuh damals angefangen hat.

Weil du darfst eines nicht vergessen. Das Fräulein
Schuh hat schon sehr jung im Festspielhaus angefangen,
und zwar 1963, in dem Jahr, wo sie den John F. Kennedy
erschossen haben. Und damals haben sie im Festspielhaus einen Bühnenarbeiter gehabt, der hat dem amerikanischen Präsidenten ähnlich gesehen wie ein Zwil-
lingsbruder. Hat natürlich das junge Fräulein Schuh ein
bißchen ein Auge auf den Salzburger John F. Kennedy
geworfen.

Anfang der sechziger Jahre natürlich noch nicht jede

Sekretärin und jeder Bühnenarbeiter eine luxuriöse Wohnung gehabt. Jetzt haben sich die beiden gern während der Arbeit in der menschenleeren Felsenreitschule getroffen. Irgendwie vielleicht ein bißchen gespenstisch, wenn du dich vor zweitausend leeren Theatersesseln dem Liebestaumel hingibst, aber irgendwie natürlich auch ein bißchen romantisch.

Besonders im Sommer, wenn das Dach der Felsenreitschule offen war, da sind sie auf dem von der Sonne beschienenen Bühnenboden gelegen, warm wie ein Bootssteg im Hochsommer, auf der einen Seite nichts als die leeren Stuhlreihen, auf der anderen Seite nichts als die Felswand mit den Arkaden, und über ihnen nichts als der blaue Himmel. Am Abend haben die Professionellen hier die Liebesgeschichten von dem Salzburger Wunderkind gespielt, «Zauberflöte», oder das eine Stück, das sogar in einem Bordell spielt, aber untertags Fräulein Schuh und John F. Kennedy, frage nicht.

Und jedes einzelne Mal ist es sehr schön gewesen. Aber einmal war es doch ganz etwas Besonderes. Wo sich das junge Fräulein Schuh in ihrer Erschöpfung gerade ein bißchen von ihrem verschwitzten John F. Kennedy weggedreht und in die leeren Zuschauerreihen hineingeschaut hat, quasi leiser Schauer, wenn da in der Dunkelheit jemand sitzen würde und ihnen zugeschaut hätte. Aber so ist es im Leben, die Gefahr kommt immer aus einer anderen Richtung als erwartet.

Genau so, wie bei den zwei Tischfußball-Buben im Marianum die Gefahr nicht über die Kellerstiege herabgekommen ist, sondern direkt aus dem Tisch, ist auch in der Felsenreitschule kein Mensch im Zuschauerraum ge-

sessen, da hat das Fräulein Schuh ja immer dreimal geschaut, ob alles abgesperrt ist. Aber natürlich, gegen das
Höhere kannst du mit Absperren nichts machen. Weil
das Fräulein Schuh hat auf einmal ein leichtes Erdbeben
gespürt.

Es war aber kein echtes Erdbeben, quasi Richterskala
und Zentralanstalt für Meteorologie und Geodynamik.
Obwohl es ja auch in unseren Breiten immer wieder die
gewissen Ausläufer gibt, und ein paar Jahre später in
Salzburg sogar das furchtbare Erdbeben von Friaul noch
ordentlich zu spüren gewesen, Risse in den Kirchen,
große Denkmalsache, frage nicht. Aber das Erdbeben
im Sommer 1963 hat sich das Fräulein Schuh nur eingebildet.

Und aus dem Felsen ist auch niemand herausgekommen. Andererseits, irgendwas muß passiert sein, sonst
hätte sie ja nicht das Gefühl gehabt, hinter ihr wäre gerade
der Blitz eingeschlagen. Sie hat sich umgedreht, um den
John F. Kennedy zu fragen, aber große Überraschung,
der John F. Kennedy ist nicht mehr dagewesen. Sondern
ein wildfremder Mann ist an seiner Stelle gelegen und
hat das nackte Fräulein Schuh ganz verwundert angeschaut. Das war aber kein Theatertrick, sondern eben
ein Selbstmordkandidat. Der ist so weich auf dem John F.
Kennedy gelandet, daß jetzt nur der John F. Kennedy tot
war, aber er selber ist quietschlebendig auf einem roten
Teppich gelegen, der unter ihm immer breiter herausge-
rieselt ist.

Später hat sich das Fräulein Schuh oft ein bißchen
übersinnlich getröstet, also nicht nur Cointreau, sondern eben auch: Vielleicht hat es so sein sollen, daß er

im selben Jahr stirbt wie der amerikanische Präsident. Der überlebende Mönchsberg-Springer hat dann glücklich weitergelebt, und der zahlt heute noch jedes Jahr zu Allerheiligen einen Kranz für seinen Retter, obwohl er ihn nur so kurz kennengelernt hat.

Nur damit du verstehst, warum sich beim Fräulein Schuh diese zwei verschiedenen Sachen so verknüpft haben, daß sie immer ganz ding geworden ist, wenn ihr jemand in die Felsenreitschule gehüpft ist. Warum sie jetzt so verträumt in die Felsenreitschule hinübergeschlurft ist, nachdem die Putzfrau sie angerufen hat, daß schon wieder jemand auf einen Sprung in der Felsenreitschule vorbeigeschaut hat.

Wenn sie ein bißchen schneller gegangen wäre, hätte der Brenner sie gar nicht mehr gesehen, wie sie gerade über die Einfahrt zwischen dem kleinen Haus und der Felsenreitschule geschlurft ist. Umgekehrt muß ich sagen, wenn der Brenner ein bißchen schneller getan hätte, wäre vielleicht dieser Mensch, den die Putzfrau gefunden hat, mit dem Leben davongekommen.

«Ich habe keine Zeit», hat das Fräulein Schuh ihm zugezischt, praktisch Begrüßungsworte. «Mir ist schon wieder einer in die Felsenreitschule gehüpft. Der Föhn!»

«Es ist doch gar kein Föhn.»

«Wer sagt das?»

«Mein Kopf.»

«So?»

Das Fräulein Schuh hat dem Brenner einfach den Rükken zugekehrt und die nächste Tür aufgesperrt. Wie sie da mit dem Schlüsselring geklimpert hat, das hat den Brenner auf einmal daran erinnert, wie in der ersten

Nacht im Regens-Büro der Schlüsselbund in der Hose vom Sportpräfekt Fitz zu klingeln angefangen hat. Aber da hat natürlich sein Wissen jetzt schon eine gewisse Rolle gespielt.

«Wenn es Sie nicht stört, würde ich mir das gern anschauen», hat der Brenner gesagt und sich einfach hinter dem Fräulein Schuh durch die Tür gedrückt.

«So etwas ist aber kein schöner Anblick.»

«Ich weiß, wie so was aussieht.» Aber der Brenner hat jetzt noch nichts von Petting erwähnt.

«Was Sie nicht alles wissen!»

«Ich weiß sogar, wer Ihr Sohn ist.»

Das Fräulein Schuh hat gar nicht reagiert. Sie ist nur weitergeschlurft und hat mit ihrem scheppernden Schlüsselbund die nächste Tür aufgesperrt.

«Sie haben mir ja damals selber anvertraut, daß Sie ihn nach dem John F. Kennedy getauft haben. Ich habe mir nicht viel dabei gedacht, weil englischer Vorname John ist nicht so ungewöhnlich. Aber ich wäre nie auf die Idee gekommen, daß Sie Ihrem Kind den mittleren Namen des amerikanischen Präsidenten angehängt haben.»

«Fitzgerald», hat das Fräulein Schuh stolz gelächelt.

«Dabei war ich schon am ersten Tag im Marianum ganz nahe dran. Der Präfekt mit der Hasenscharte hat mir Ihren Sohn vorgestellt. Sportpräfekt Fitz. Da hab ich zuerst geglaubt, sie reden den nicht geweihten Präfekt mit dem Vornamen an, und der alte Herr kriegt das «r» aus Fritz nicht über seine Hasenscharte.»

«Fritz!» hat das Fräulein Schuh verächtlich geschnauft.

«Darum hab ich den ganzen Abend zwanghaft auf seine Aussprache geachtet. Wir haben über Gerüchte

geredet, aber es hat bei ihm immer wie Gerüche geklungen.»

«Gerüche!»

«Ich hab mir dann gesagt, Fitz ist eben ein Familien-
name, und nicht mehr darüber nachgedacht. Aber irgendwo da ganz hinten muß ich es schon besser gewußt
haben, weil ich die ganze Zeit über irgendwelche Buchstaben stolpere, seit ich in Salzburg bin.»

«Fitzgerald Schuh. Ein wunderschöner Name», hat die
Mutter sich den Namen ihres Sohnes noch einmal auf
der Zunge zergehen lassen. «Er hätte Bischof werden
können, wenn er nicht verführt worden wäre.»

«Und so schreibt er nur Reden für den Bischofskandidaten Schorn.»

«Er schreibt wunderschöne Predigten», hat die Mutter
stolz gesagt.

«Zum Beispiel über Ohren.»

«Haben Sie die gehört? Van Gogh!»

«Ich habe sie gehört. Und verstanden.»

«Das haben Sie schön gesagt. Gehört und verstanden.
Das ist ein großer Unterschied.»

«Zum Beispiel, daß Sie Ihren Sohn nach dem amerikanischen Präsidenten getauft haben. Das habe ich von
Ihnen schon vor Jahren gehört. Aber erst heute verstanden.»

«Verstanden!» hat das Fräulein Schuh geschnauft.
«Verstanden!» Da hat sie direkt ein bißchen verbittert geklungen. «Daß ich nicht lache!»

Und dann hat sie dem Brenner die ganze tragische
Geschichte erzählt, wie damals der Mönchsberg-Springer vom Himmel gefallen ist, wie ihr Sohn schon eine

Minute nach der Zeugung keinen Vater mehr gehabt hat, Jungfrau Maria nichts dagegen.

«Und wie haben Sie es herausgefunden, daß er mein Sohn ist? Er sieht mir doch gar nicht ähnlich.»

«Nein. Aber dem John F. Kennedy.»

Der Brenner hat das Fräulein Schuh noch nie so strahlen gesehen, so hat sie das gefreut. Dabei hat der Fitz dem Kennedy überhaupt nicht ähnlich gesehen, schon auch eine sonderbare Frisur, aber die Antennenhaare hat der Präfekt doch mehr von seiner Mutter gehabt, darum hat sie ihre Haare ja immer gar so brutal nach hinten gefesselt.

Und eigentlich ist der Brenner ja durch den Sandler, der vor dem Skelett salutiert hat, auf die Idee gekommen. Aber er hat es jetzt nicht übers Herz gebracht, dem Fräulein Schuh gegenüber den Sandler zu erwähnen.

«Das Skelett im Marianum heißt Oswald», hat er ihr erzählt, während sie weiter Richtung Felsenreitschule gegangen sind. «Genau wie der Mörder des John F. Kennedy.»

«Mühlbacher Erwin», hat das Fräulein Schuh gesagt, weil natürlich, so hat der Mörder ihres John F. Kennedy geheißen.

«Lee Harvey Oswald. Ein Vorname als Nachname. Ich habe so lange über diesen Namen nachgedacht, daß ich mich dann auch noch gefragt habe, was eigentlich hinter dem F. des Präsidenten Kennedy gesteckt ist.»

«Fitzgerald», hat das Fräulein Schuh laut und strahlend ausgerufen, als müßte sie eine Ankündigung auf der Bühne der Felsenreitschule machen, auf die sie jetzt über eine Seitentreppe hinaufgestiegen sind.

«Ich sag Ihnen, das ist kein schöner Anblick», hat das

Fräulein Schuh ihn noch einmal gewarnt, bevor sie endgültig die Bühne betreten haben.

Das war aber eigentlich gar nicht wahr. Du wirst das jetzt nicht hören wollen, aber in gewisser Weise war es schon ein schöner Anblick. Allein die riesige Bühne, die aus der Nähe zehnmal so groß war, als der Brenner sie sich vorgestellt hätte. Die Felsarkaden des Mönchsbergs, die den Bühnenhintergrund gebildet haben. Der blaue Himmel über dem offenen Dach, das blendende Sonnenlicht, das die Bühnenbretter aufgeheizt hat, daß sie geduftet haben, wie wenn man im Sommer aus einem See steigt und sich naß auf das ausgedörrte Holz legt. Weil Nässe war natürlich auch ein bißchen herum, das muß ich schon zugeben.

Und das schönste war der rote Kranz, der sich um den Kopf der Leiche gebildet hat. Normalerweise wachsen ja die Haare aus dem Kopf, aber wenn du von einem Berg springst, ist es wieder umgekehrt, und der Kopf wächst aus den Haaren. Aber in diesem Fall hat es keinen Unterschied gemacht. Im gleißenden Hochsommerlicht haben die Haare, die aus dem Kopf gewachsen sind, um die Wette geleuchtet mit dem Kopf, der aus den Haaren gewachsen ist, Waldbrand nichts dagegen.

Darum sage ich, wenn der Brenner ein paar Stunden früher dran gewesen wäre, hätte der Waldbrand vielleicht nicht so furchtbar büßen müssen.

«Die Frau vom Dr. Prader», hat das Fräulein Schuh geseufzt und sich neben die Leiche gesetzt. Und dann hat sie leise zu weinen angefangen.

Aber nicht daß du glaubst, falsches Mitleid mit der Praderin. Sondern Erinnerung. «Das ist genau die Stelle, wo ich damals gelegen bin», hat sie auf die Tote gedeutet. «Und genau da ist mein Freund gelegen.» Genau da, wo das Fräulein Schuh jetzt gesessen ist. «Sie fallen immer auf dieselbe Stelle», hat sie erzählt. «Weil man überhaupt nur von dem einen Felsvorsprung wegspringen kann. Ich weiß immer schon, wo sie liegen, wenn drüben das Telefon läutet.»

«Immer auf dieselbe Stelle», hat der Brenner gesagt. «Aber die Leute sind immer andere.»

«Jaja, die Leute.»

«Die Frau Prader war die engste Mitarbeiterin von Ihrem Sohn. Sie hat offenbar erkannt, daß jetzt alles auffliegen wird. Der lukrative Jungfrauenhandel, den Sie mit Ihrem Sohn aufgezogen haben.»

«Das müssen Sie zuerst einmal beweisen», hat das Fräulein Schuh so gleichgültig gesagt, als ginge es um die Frage, wie das Wetter morgen wird.

«Das ist ganz einfach.»

«Einfach?»

«Vor Jahren haben Sie mir weisgemacht, der Carlos José hätte die Anrufe nur fingiert, um seine miserable Gesangsleistung zu rechtfertigen.»

«Er hat ja auch miserabel gesungen. Die Stimme war völlig hinüber.»

«Darum wollten Sie ihn auch mit Ihren Anrufen dazu bringen, daß er freiwillig seinen auf Jahre hinaus abgeschlossenen Vertrag kündigt. Ihre Anrufe waren ja nicht Belästigung, wie ich damals geglaubt habe, sondern Erpressung.»

«Der hat doch zugegeben, daß er die Anrufe selber gemacht hat.»

«Genau das hätte mich stutzig machen müssen, daß er dann auf einmal alles so schnell zugegeben hat. Aber es ist mir erst aufgefallen, wie Sie mir jetzt nach Jahren die Premierenkarte zugesteckt haben. Wie echt Ihre Stimme war, mit der Sie die Anruf-Stimme imitiert haben.»

«Olalà, der Herr Detektiv mit dem absoluten Gehör», hat das Fräulein Schuh melodiös gespöttelt, und dann wieder schroff wie das reinste Reibeisen: «So lange kann sich kein Mensch eine Stimme merken.»

Aber der Brenner hat sich jetzt von ihrem rauhen Ton nicht mehr täuschen lassen. Er hat nur ganz ruhig gesagt: «Der Herr José hat eben offiziell doch lieber die Stimme verloren als die Hose.»

«Wer verliert schon gern die Hose?»

«Vor allem, wenn so viele kleine Mädchen drinnen stecken. Die Sie und Ihr Sohn ihm vermittelt haben.»

Das Fräulein Schuh hat nur mit den Schultern gezuckt: «Das ist lange her. Was wollen Sie mit dieser alten Geschichte?»

«Die alten Geschichten sind die besten. Zum Beispiel, daß Ihr Sohn den Jungfrauenhandel vom alten Dr. Phil. Guth übernommen hat, wie Sie ihn ins Ausgedinge nach Petting geschickt haben.»

Und dann hat der Brenner ihr ein paar neue Geschichten erzählt. Daß er in der Mönchsberg-Villa angerufen hat, wo das Fräulein Schuh und ihr Sohn die philippinischen Jungfrauen über den Sommer gehalten haben wie im reinsten Hochsicherheitstrakt, bewacht von der Angorakatze. Daß der Gottlieb deshalb umgebracht worden ist, weil er dem Verschwinden der Mary Ogusake nach Petting hinterhergewühlt hat. Und die Mary, weil der

Brenner und der René die Spur vom Gottlieb weiter verfolgt haben. Daß jetzt auch die Sekretärin von ihrem Sohn vom Mönchsberg gehüpft ist, weil der sie in eine immer aussichtslosere Lage hineinmanövriert hat.

«Mein Sohn», hat das Fräulein geseufzt. Aber nicht geseufzt über ihren Sohn, sondern über die Blödheit vom Brenner. «Kümmern Sie sich doch nicht um meinen Sohn. Kümmern Sie sich doch nicht immer um die kleinen Fische!» Dabei ist sie aufgesprungen, als wäre ihr plötzlich bewußt geworden, daß sie neben einer Leiche sitzt. «Daß das Institut meines Sohnes vielleicht die eine oder andere Vermittlungsspende für die Hauskirche bekommen hat, das kann Ihnen doch egal sein. Fragen Sie sich lieber, wie wir unsere Geschäfte über Jahre unbemerkt vom Präsidium betreiben konnten!»

Jetzt natürlich. Hat das Fräulein Schuh wieder angefangen, sich selber die Fragen zu stellen.

«Fragen Sie sich einmal, warum wir dem Vize sein Hexenhaus in Petting so günstig abgekauft haben. Und ich kann Ihnen sagen –»

«Günstig für Sie oder für ihn?»

Aber das Fräulein Schuh hat jetzt nichts mehr gehört. «Sie sollten sich lieber fragen, warum der Vizepräsident der Salzburger Festspiele so böse auf seinen Schwiegersohn war. Sie glauben doch nicht im Ernst, daß das Alles für den Hugo alles war.»

«Ich weiß, daß er die Disketten gestohlen hat.»

«Aber Sie wollen wissen, was auf den Disketten drauf war. Das kann ich Ihnen sagen.»

«Ich weiß, was auf den Disketten drauf war. Geburtstage und Probepackungen.»

Und jetzt ein Gelächter vom Fräulein Schuh in der menschenleeren Felsenreitschule, da hätte man glauben können, alle Opernsängerinnen, die in den letzten fünfzig Jahren hier ihr affektiertes Bühnengelächter abgelassen haben, lachen auf einmal aus dem Fräulein heraus.

Und der Anblick auch ein bißchen theatralisch. Der blaue Himmel, die Felsarkaden, der Bretterboden und das Fräulein Schuh, das in seiner im Sonnenlicht blitzenden Waffenscheinbluse auf der Bühne neben dem Leichnam ihrer Mitarbeiterin gestanden ist und gesungen hat, daß es nur so eine Freude war.

Sie hat gesungen, was auf der Adressenkartei, die der Gottlieb seinem Schwiegervater gestohlen hat, sonst noch drauf war. Außer Geburtstagen und Hautcremen. Sie hat gesungen, daß heute kein internationaler Veranstalter mehr ohne diese Serviceleistungen auskommt. Sie hat gesungen, daß man nur an das zahlungskräftige Publikum herankommt, wenn man die besten Stars hat. Daß man mit Geld aber keinen echten Weltstar mehr hinter dem Ofen hervorlocken kann. Weil natürlich. Das Geld bietet ihm die Konkurrenz in Baden-Baden genauso.

Darum ist es gut, wenn man etwas über seine heimlichen Leidenschaften weiß. Weil der Star sagt sich, ich gehe am liebsten dorthin, wo ich auch für meine heimliche Leidenschaft etwas bekomme. Und darum sind diese Aufzeichnungen, die der Schwiegersohn dem Festspielvize gestohlen hat, eben so viel wert gewesen.

Jetzt heimliche Leidenschaften. Was gehört da dazu? Das Fräulein Schuh hat sich in einem Tempo selber Fragen gestellt und sie gleich beantwortet, daß kein Begleitorchester der Welt mitgekommen wäre. Heimliche

Leidenschaften, hat sie gesungen, das ist natürlich von Mensch zu Mensch ganz verschieden. Der eine ißt gern, für den mußt du unbedingt jeden Morgen zum Frühstück den besten Leberkäse einfliegen lassen. Der andere trinkt gern, wieder bei einem ist es das Zigarrenrauchen. Und das Fräulein Schuh Beispiele noch und noch.

Bis sie endlich zum Menschlichen gekommen ist, praktisch Höhepunkt. Wenn du einen Star auf dem menschlichen Sektor wirklich gut kennst und genaue Aufzeichnungen über seine Vorlieben hast, dann natürlich. Kommt er gern jedes Jahr wieder.

Der Brenner hat auf seine Digitaluhr geschaut. Nicht weil der Wecker schon wieder geklingelt hat. Sondern weil ihm langweilig war. Die ganze Aufführung hat ihm nichts gegeben, und er hat jetzt verstanden, daß das Gesangswunder nur Zeit gewinnen will.

«Ohne unsere Arbeit wären doch alle Stars längst zu den neureichen Festivals wie Baden-Baden abgewandert!» hat es ihr jetzt regelrecht den Sopran überschlagen, wie der Brenner auf die Uhr geschaut hat. «Zu den Stadien-Auftritten! Glauben Sie, ein einziger würde sich noch nach Salzburg verirren?»

Und darum sage ich ja immer: Gehör wichtiger als Stimme. Weil das Fräulein Schuh hat gut gesungen, mit einer Präzision gefragt und geantwortet, und ihre Stimme war so klar und deutlich, daß dafür schon fast ein Waffenschein in Betracht gekommen wäre. Und alles, was sie gesagt hat, war für den Hugo. Weil wie gesagt. Selber fragen immer Lüge.

Aber der Brenner hat jetzt ein wunderbares Gehör gehabt. Da war es doch ein Vorteil, daß ihm der Präfekt

Fitz sein Ohr letzten Endes nicht abgeschnitten hat. Weil dem seine Mutter ist da auf der Bühne gestanden und hat dem Brenner die Ohren vollgesungen, aber der Brenner nicht begeistert. Sie hat ja nur gesungen, damit ihr Fitzgerald als bloßer Handlanger dasteht. Und wenn sie sich vor Hingabe überschlagen hätte. Der Brenner hat jetzt jeden falschen Ton gehört.

12

Du wirst sagen, Tischfußball ist kein schönes Spiel für einen allein. Im Prinzip stimmt das natürlich. Aber es war trotzdem das mit Abstand Angenehmste, was der Brenner an diesem Tag erlebt hat.

Er ist ja gleich vom Fräulein Schuh weg auf den Mönchsberg hinaufgerannt und hat sich die Absprungstelle angeschaut. Ein bißchen hat er vielleicht sogar gehofft, daß er den Fitz dort findet, quasi weinender Täter am Tatort. Aber nichts da, und wie der Brenner dann ins Marianum zurückgekommen ist, hat der Portier ihm erzählt, daß der Präfekt Fitz gerade in den Keller hinunter ist.

Jetzt natürlich große Frage, ist der Präfekt in der Fotodunkelkammer, ist er im Bastelraum, ist er in der Bücherklause, ist er im Jungscharzimmer, ist er in einem der Musikzimmer, da hat es ja tausend Möglichkeiten gegeben. Darum hat der Brenner sich eben zum Tischfußballtisch gestellt, schönes Spiel hin oder her, weil da hat der Fitz auf dem Rückweg auf jeden Fall vorbeikommen müssen.

Wenn er das nicht getan hätte, hätte er wahrscheinlich nie im Leben die Entdeckung gemacht, daß Tischfußball allein die beste Nachdenkhilfe ist, die es auf der Welt überhaupt gibt. Er hat ein bißchen herumgeschossen, ein bißchen den Ball ins Tor gepfeffert, ein bißchen in den Ballschlitz gegriffen, ein bißchen nachgedacht.

Und ein bißchen ist er sich jetzt selber wie so ein

Tischfußballmännchen vorgekommen. Und der René ein Tischfußballmännchen, und die Dr. Ogusake ein Tischfußballmännchen, und der Gottlieb ein Tischfußballmännchen, und der Waldbrand ein Tischfußballmännchen, und alle anderen auch nur Tischfußballmännchen, mit denen der Präfekt Fitz gespielt hat.

Der Brenner hat eine Kugel ins Tor gejagt, daß er sich dabei fast das Handgelenk gebrochen hat. Er hat mit den blauen Männern gespielt, weil auf dieser Seite der Ballschlitz war, und die roten Männer sind herrenlos in der Gegend herumgestanden. Nur wenn der Brenner einen von ihnen angeschossen hat, haben sie sich sinnlos in der Luft gedreht wie ein Detektiv, der keinen Plan hat und nur hin und wieder von einem Denkstoß gebeutelt wird.

Aber interessant! Er hat zwar schon vor zwei Stunden, beim Verlassen der Felsenreitschule den Verdacht gehabt, daß der Präfekt Fitz den Waldbrand hinuntergestoßen hat. Aber der Grund dafür ist ihm erst jetzt eingefallen. Beim Tischfußball. Darum sage ich ja Tischfußball! Und ein bißchen hat doch auch die Inspektion des Absprungfelsens genützt. Ein romantisches Versteck mit einer netten Holzbank, soll man gar nicht herumerzählen, sonst kommen wieder alle hin. Dort oben hat der Brenner verstanden, warum die Leute immer genau an derselben Stelle landen, weil vom ganzen dings her ist das logisch gewesen.

Aber erst beim Tischfußball ist ihm eingefallen, warum er eigentlich so sicher war, daß der Fitz seine Assistentin gestoßen hat. Nicht nur, weil er gewußt hat, daß sie vom Institut abspringen wollte.

«Hier bin ich gelegen, und dort ist mein Freund gelegen», hat das Fräulein Schuh ihm erklärt. Sprich, der Waldbrand ist genau dort gelandet, wo damals sie gelegen ist. Wenn die Selbstmörder immer an derselben Stelle landen, dann hätte natürlich damals das Fräulein Schuh tot sein müssen und nicht der John F. Kennedy. Wäre vielleicht gescheiter gewesen, muß man beim heutigen Wissensstand ganz ehrlich sagen. Aber darum geht es nicht, es geht darum, daß der Waldbrand um einen Meter zu weit hereingesprungen ist.

Uh, da hat der Brenner viele Bälle ins Tor schießen müssen, bis er sich das so schön auseinandergeklaubt hat, wie ich es dir da erzähle.

Und da sieht man wieder einmal, wie wichtig es ist, daß man sich als Detektiv alles ganz genau anhört. Heute die Leute ja immer schneller und schneller, und die jungen Leute sofort Aufschrei: Ich kenne mich schon aus! Da gebe ich gern zu, daß das nicht so die Stärke vom Brenner war. Aber eben das Zuhören. Das Ohr.

Da hat der Präfekt Fitz schon nicht schlecht überlegt, daß er dem Brenner ausgerechnet ein Ohr ins Bett gelegt hat. Der Brenner hat wieder einen Ball eingeworfen und ihn planlos hin und her gegeben, vom linken Verteidiger zum rechten und zurück und vor zu einem Mittelfeldmännchen und wieder zurück zu den Verteidigern. Er hat es aber gar nicht richtig bemerkt, daß er das tut, so versunken hat er jetzt seine Gedanken hin und her geschoben:

Wie sie das Marianum seit Jahren und Jahrzehnten mit den Geldern aus dem Jungfrauenhandel für die Festspielstars finanziert haben. Wie dann der alte Dr. Phil. Guth gegen die Statuten verstoßen hat, weil er sich die fünfzehnjährige Mary Ogusake selber unter den Nagel gerissen hat, statt sie weiterzuvermitteln. Wie er den Hut nehmen hat müssen und das Fräulein Schuh ihm als Abfindung das alte Haus in Petting angeboten hat, das der Festspielvize sowieso nicht losgeworden ist. Wie er über die Grenze gezogen ist und den Namen seiner Frau angenommen hat: Dr. Ogusake.

Und das Institut hat ein vollkommen verläßlicher Partner übernommen, der Sohn des Fräulein Schuh.

Und wieder schön den Ball unten herausholen und weiterspielen. Weil solange die Kugel gerollt ist, sind auch die Gedanken vom Brenner ein bißchen herumgerollt.

Jahrelang ist das alles klaglos gelaufen, bis der Gottlieb vor lauter Forschergeist die Petting-Karte aus dem Archiv gezogen hat. Eigentlich tragisch, weil mit dem Spiritual Schorn hat das gar nichts zu tun gehabt.

Der Brenner war jetzt derart in Gedanken, daß er versehentlich zwei Bälle gleichzeitig eingeworfen hat.

Peng! Peng! Peng!

Jetzt komisch, er hat nur zweimal geschossen, beide Bälle mit Karacho im Tor versenkt, aber es hat dreimal peng gemacht. Wenn du natürlich zweimal schießt, aber es macht dreimal peng, ist meistens irgendwas nicht ganz in Ordnung. Und wahrscheinlich hat deshalb jetzt eine Stimme hinter ihm gesagt:

«Nicht umdrehen, oder du bist ein toter Mann.»

Der Brenner hat die Stimme gekannt, aber er hätte jetzt beim besten Willen nicht sagen können, wem sie gehört. Und der Geruch und das Genuschel haben ihn auch an irgendwen erinnert.

Peng!

Alte Regel, solange du erschreckst, bist du nicht tot, weil die Kugel, die dich tötet, hörst du ja gar nicht mehr. Aber gefährlich war es trotzdem, frage nicht. Weil der Brenner nur um Millimeter am Herzinfarkt vorbei, wie der Sandler die nächste Schulmilchpackung zusammengetreten hat. Der hat es jahrelang bei den Schülern beobachtet, jetzt hat er es selber einmal ausprobieren müssen: Schulmilch trinken, Luft hineinblasen, zertreten und gespannt warten, ob jemand mit Herzinfarkt umfällt oder nicht. Jetzt ganz geschafft hat er es nicht, aber doch Riesenfreude, daß er den Brenner so erschreckt hat.

Mit einem riesigen Plastiktaschenpack in seinen Armen ist er dagestanden und hat den Brenner angegrinst. Lange hat seine Freude aber nicht gedauert. Ich erzähle es nicht gern, aber der Brenner hat ihm eine aufgelegt, da hat man an dem Nachdruck, den er in seinen Schlag hineingelegt hat, schon ein bißchen gemerkt, daß er von der ganzen Situation ein bißchen angespannt war.

Aber unglaublich, durch den Schlag ist die Spannung nicht weniger geworden, sondern mehr. Weil der Sandler ganz gelassen: «Der Präfekt hat aber einen besseren Schlag als du.»

Und es hat sich herausgestellt, daß ihn der Präfekt Fitz gerade aus den Duschen hinausgewatscht hat, wo der Sandler den Schlafplatz vom Wetteransager übernommen hat.

«Ich geb dir einen guten Rat», hat der Brenner gesagt. «Schleich dich.»

Aber wenn der Sandler so ein Mensch gewesen wäre,

der sich gern herumkommandieren läßt, hätte er ja gleich einen normalen Beruf ergreifen können, wo du einem magenkranken Chef den ganzen Tag seine Wünsche von den Lippen ablesen darfst. Andererseits hat er sich ein bißchen vor dem Brenner gefürchtet. Jetzt wie verweigert man einen Befehl von jemandem, den man fürchtet? Man schenkt ihm etwas.

«Kannst du behalten», hat der Sandler gesagt und ihm seinen Plastiktaschenpack hingeworfen. «Sind eh nur mehr neue.»

Dann ist er so schnell die Kellerstiege hinauf, daß der Brenner sich gewundert hat, daß der noch so laufen kann. Und der Brenner ist mit den Plastiktaschen dagestanden. Und dann ist er auch losgerannt. Aber nicht die Kellerstiege hinauf, sondern er ist mit dem Plastiktaschenpack in der Hand in den Duschtrakt hinübergestürmt. Nicht so schnell wie ein Gedanke, aber immerhin so schnell, daß er sich fast das Genick gebrochen hätte.

Zuerst hat er eine Tür aufgerissen, hinter der keine Duschen waren, sondern eine vergammelte Schlosserwerkstatt, die nächste Tür hat zum Heizraum geführt, dann ist er weiter den Gang entlang, und immer, wenn er geglaubt hat, der Gang ist zu Ende, hat er nur eine Kurve nach links oder rechts gemacht. Und wenn nicht die Heizungs- und Wasserrohre gewesen wären, die immer noch weitergelaufen sind, dann hätte der Brenner schon geschworen, daß er sich gar nicht mehr unter dem Marianum befindet, sondern womöglich unterirdisch schon in einen ganz anderen Stadtteil marschiert ist.

Aber nichts da, ganz am Ende des Kellergangs ist eine

weiße Tür gewesen. Und wie der Brenner sie geöffnet
hat, hat er sich an den Großschlachthof erinnert, zu dem
sie einmal in der Polizeischule einen Bildungsausflug gemacht haben. Dort war auch vom Boden bis zur Decke
alles weiß gekachelt. Und hier auch alles weiß: Boden
weiß, Decke weiß, Wände weiß, sogar die Heiz- und Wasserrohre waren weiß übermauert, weil so hat man das
früher isoliert, bevor sie die ganze Welt mit dem silbernen Schokoladenpapier umwickelt haben.

Noch mehr hat ihn aber beeindruckt, was er gehört
hat. Weil das war ein Wasserrauschen, als würden sich
zehn Schulklassen auf einmal duschen, Niagarafälle
nichts dagegen. Und abgesehen vom Wasser vollkommene Stille.

«Herr Präfekt?» hat der Brenner gerufen.

Er hat sich gewundert, daß er nur drei weiße Türen zu
den Duschkabinen gesehen hat. Weil nicht zu glauben,
daß drei Duschen in einem gut ausgefliesten Schlacht-
raum so einen Lärm machen können. Und die techni-
sche Anlage ist ihm für drei Duschen auch ein bißchen
übertrieben vorgekommen, weil Vorkriegstechnik immer
wieder sehr imposant: die monströsen Wasserleitungen,
die schönen Glaszylinder für die Druck- und Tempera-
turanzeige, die beiden lenkradgroßen Regulierräder, ein
rotes für das Heißwasser, ein grünes für das Kaltwasser,
weil da dürfte das blaue einmal abgefroren sein, haben
sie eben ein grünes aufgeschraubt. Und die haben in
dem vollkommen weißen Umkleideraum richtiggehend
geleuchtet.

«Herr Präfekt?»

Aber außer dem Wasserrauschen kein Mucks. Und

wie der Brenner dann durch den schmalen, weiß ausgefliesten Durchgang geschlüpft ist, hat er die ganze Pracht
erst entdeckt: bestimmt vierzig, wenn nicht fünfzig
Duschkabinen, eine neben der anderen, alle ohne Türen,
nur Fliesen, Fliesen, Fliesen, und die orangen Gummi-
vorhänge sind in Fetzen heruntergehängt. Links Duschen,
rechts Duschen, vorne Duschen, hinten Duschen, und
Gänge in alle Richtungen und überall nichts als Duschen
und wieder Duschen, und ob du es glaubst oder nicht,
alle Duschen waren voll aufgedreht.

Der Brenner hat keine Armaturen entdeckt, wo man
sie hätte abdrehen können, weil da sind offensichtlich
das Wasser und die Wärme nur zentral vom jeweiligen Dusch-Präfekt mit den beiden Lenkrädern reguliert
worden.

In den Gängen zwischen den Kabinen hat man sich
richtig verirren können, und einziges Glück, daß hier nirgends ein Spiegel war, sonst hätte man aus dem Laby-
rinth wahrscheinlich bis an sein Lebensende nicht mehr
herausgefunden. Obwohl jetzt, symbolisch gesprochen,
muß man sagen: Der Gottlieb Meller hat ja wirklich sein
Leben lang nicht mehr aus diesem Spiegelkabinett des
Marianischen Hygieneunterrichts hinausgefunden. Aber
interessant, daß ich jetzt diese Überlegung anstelle. Ist
mir der Sandler vielleicht doch ein bißchen zu wenig philosophisch gewesen.

Und natürlich die Geisterhand nicht zu vergessen.
Weil jetzt wie von Geisterhand bei allen Duschen Wasser
aus.

Wie er wieder aus dem Kabinenlabyrinth hinausgefunden hat, ist die erste von den drei Kabinentüren im

Umkleideraum nur mehr angelehnt gewesen. Und die Wasserflecken auf den Bodenfliesen zwischen der Kabinentür und dem Eck mit den Armaturen waren auch neu. Genauso wie die Geräusche aus der Kabine, wo sich offenbar gerade jemand angezogen hat.

«Grüß Gott», hat der Herr Präfekt Fitz gesagt und ist im eleganten schwarzen Anzug aus der dampfenden Duschkabine herausgekommen. Aber seine Haare waren so naß und glatt, daß der Brenner ihn fast nicht erkannt hätte.

«Man kann die Duschen hier nicht einzeln aufdrehen», hat der Präfekt erklärt. «Nur alle oder keine. Ist schon eine Energieverschwendung. Aber manchmal habe ich das Bedürfnis, hier herunten zu duschen.»

«Alle oder keine», hat der Brenner wiederholt. «So wie man beim Tischfußball auch nur alle Männchen an einer Stange bewegen kann oder keines.»

Der Präfekt hat genickt und auf den Plastiktaschenpack in den Händen vom Brenner gedeutet. «Fragen Sie sich auch manchmal, was die Sandler in ihren Plastiktaschen herumtragen?»

«Wieso ist eigentlich Ihr Anzug nicht naß geworden?» hat der Brenner gefragt, weil sie haben jetzt ein bißchen aneinander vorbeigeredet, wie man es gern tut, wenn man weiß: Gleich geht es um sehr ernste Dinge, also reden wir vorher noch ein bißchen um den heißen Brei herum.

Der Präfekt hat die Duschkabine aufgemacht und ihm gezeigt, daß an der Rückwand ein schmales weißes Garderobentürchen eingelassen war. «Man soll sich nicht außerhalb der Kabine nackt zeigen.»

Der Brenner hat sich gewundert, daß trotzdem heraußen im Vorraum eine Holzbank gestanden ist, praktisch Hallenbad-Umkleideraum, und auf die hat er sich jetzt gesetzt, vielleicht ein bißchen in Erwartung des Kommenden. Er hat den Pack zwischen seine Füße gestellt und hineingeschaut. Aber das, was er herausgezogen hat, war eine Enttäuschung.

«Wieder eine Plastiktasche», hat er zum Präfekt gesagt.

«Die sind auch schon längst in Konkurs», hat der Präfekt auf die Tasche gedeutet, die der Brenner herausgezogen hat, weil groß und fröhlich ist *Der frische Konsum* auf der Tasche gestanden, und der *Konsum* natürlich schon vor Jahren Riesenpleite, aber die Plastiktaschen immer noch hoch im Kurs.

Und aus der *Konsum*-Tasche hat der Brenner eine *Spar*-Plastiktasche gezogen, und in der *Spar*-Plastiktasche war wieder nichts außer einer *Humanic*-Plastiktasche.

«Vor Jahren habe ich einmal eine *Humanic*-Schuhverkäuferin in Graz gekannt», hat der Brenner dem Präfekt erzählt. Vielleicht, um es noch ein bißchen hinauszuzögern, daß er mit dem Präfekt über die andere Sache reden muß. «Neben dem Schuheprobieren hab ich zu ihr gesagt: Du bist doch das Mädchen aus der *Humanic*-Reklame.»

Der Präfekt hat gelächelt. «Die wird sich gefreut haben.»

«Die hätte mich am liebsten gewürgt. Weil jede andere Reklame geht ja mit schönen Frauen, aber *Humanic*-Reklame natürlich.»

«Da können Sie zu einer Frau gleich sagen, du schaust aus wie aus dem Irrenhaus.»

«Genau, das wollte ich ja auch. Weil mit Komplimenten kommt man nicht weit bei schönen Frauen, die kennen das zur Genüge. Und die Verkäuferin war extra hübsch. Drei Wochen hab ich sie dann gekannt, danach nie mehr etwas von ihr gehört. Aber immer wenn ich die *Humanic*-Reklame sehe, muß ich an sie denken.»

Außer dieser Erinnerung war nichts in der *Humanic*-Plastiktasche. Nur die nächste Plastiktasche, *Palmers*-Strümpfe, und in der *Palmers*-Tasche war eine *C&A*-Plastiktasche, und so weiter und so fort.

Irgendwie müssen diese Taschen, die er aus den Taschen gezogen hat, in ihm etwas Meditatives ausgelöst haben. Er hat es überhaupt nicht mehr eilig gehabt, und er war ganz zuversichtlich, daß mit dem Präfekt Fitz jetzt alles seinen sinnvollen Gang gehen wird.

«Wissen Sie, was ich beim Denken immer wieder falsch mache?» hat der Brenner gesagt. «Wenn man nachdenkt, das ist so, wie wenn man in eine Plastiktasche hineinschaut. Man öffnet eine Tasche in der Hoffnung, daß etwas drinnen ist, aber es ist wieder nur eine Tasche drinnen, und wenn man die aufmacht, ist wieder nur eine Tasche drinnen, und ewig so fort.»

«Mit dem Denken kommt der Mensch nicht weit», hat der Präfekt genickt, aber ohne daß seine nassen Antennen auch nur die geringste Bewegung gemacht hätten.

«Und doch ist es nicht umsonst», hat der Brenner ihn korrigiert. «Weil auf den Taschen steht die Lösung oben.»

Drogeriemarkt

Kodak

Billa

Lego

Bank Austria

«Ich frage mich, wofür eine Bank Plastiktaschen braucht», hat der Brenner gemurmelt und aus der *Bank-Austria*-Plastiktasche die nächste *Billa*-Plastiktasche gezogen. «Tragen die Leute ihre Millionen heute schon in Plastiktaschen heim?»

«Wahrscheinlich für die Bankräuber», hat der Präfekt gelächelt.

Parfümerie Elke

H&M

Libro

ORF

«Aber das Fernsehen hat auch Plastiktaschen. Das trägt man ja auch nicht in Plastiktaschen heim. Also warum soll die Bank keine Plastiktaschen haben? Da glaubt man, die Sandler tragen in ihren Taschen überlebenswichtige Dinge herum, ein zweites Paar Schuhe oder Schnaps oder ein paar Mäntel für die kalte Jahreszeit, aber so hätte ich mir das nicht vorgestellt.»

Bauprofi

Kleider Bauer

Interspar

«Wie meinen Sie das, daß die Lösung auf den Plastiktaschen oben steht?»

«Ich meine nur, daß man im nachhinein immer drauf kommt, daß man an der falschen Stelle gesucht hat. Man sucht Geheimnisse, obwohl es offen zutage liegt. Die wichtigen Dinge sind nicht versteckt wie die Sachen in einer Tasche, sondern ganz offenkundig.»

«Und was steht auf Ihren Taschen?»

«Petting.»

Der Präfekt hat nur ein bißchen die Stirn gerunzelt und leise gesagt: «Dieser Idiot.»

«Der Gottlieb hat Sie mit der Schorn-Geschichte genervt. Deswegen hätten Sie ihn aber nie umgebracht. Da hätte sowieso niemand etwas beweisen können. Außerdem ist es ja längst allgemein bekannt, daß die Pfarrer –» Der Brenner hat sich selber unterbrochen. Dann hat er den Präfekt Fitz gefragt: «Kennen Sie den Witz, wo der Ministrant dem Pfarrer auch die andere Backe hinhalten muß?»

«Den hab doch ich Ihnen erzählt.»

«Ja richtig. Eben das meine ich. Wegen dieser Geschichte, über die Sie sogar selber Witze erzählen, hätten Sie ihn nie umgebracht. Was geht Sie der Monsignore Schorn an? Nur weil Sie ein paar Predigten für ihn schreiben. Schlimmstenfalls wäre eben ein anderer zum Bischof befördert worden.»

«Berufen.»

«Was?»

«Berufen, nicht befördert.»

«Aber dann hat der Gottlieb ausgerechnet das Dokument über die Mary Ogusake angeschleppt.»

«Dieser Spinner», hat der Präfekt gesagt und sich mit einer Hand das Wasser vom Nacken gewischt, bevor es ihm unter den Hemdkragen gelaufen ist.

«Er hat Verdacht geschöpft und ist zum Dr. Prader hinauf. Aber nicht, um mit ihm zu reden, sondern um beim philippinischen Botschafter Erkundigungen einzuholen. Blöderweise hat Ihnen der Waldbrand alles brühwarm weitererzählt.»

«Wer?»

«Die Frau, die Sie heute in die Felsenreitschule gestoßen haben.»

«Waldbrand», hat der Präfekt geschmunzelt.

«Nachdem Sie auf der Party von ihrem Mann erfahren
haben, daß sie aussteigen will.»

Der Präfekt mit den nassen Haaren hat sich wieder mit
der Hand das Wasser vom Nacken gewischt.

«Sie haben sie nur ein bißchen zu weit gestoßen. Dadurch ist sie auf dem falschen Platz gelandet. Auf dem
Platz Ihrer Mutter statt auf dem Platz Ihres Vaters.»

«Sie ist auf dem Platz meiner Mutter gelandet?»

Dem Brenner ist vorgekommen, als wäre das das erste
gewesen, was den Sportpräfekt wirklich gestört hat, der
jetzt traurig den Kopf geschüttelt hat: «Wenn der Idiot
nicht auf Petting verfallen wäre.»

«Der Gottlieb hat selber nicht geahnt, was für ein Nest
er da ansticht. Wie Sie dann den toten Sandler da herunten gefunden haben, ist Ihnen klargeworden, daß Sie
nie wieder eine Chance kriegen werden, den neugierigen
Wichtigtuer so einfach loszuwerden.»

«Es war ein Fingerzeig, daß mich die Frau Prader ausgerechnet an dem Tag informiert hat, wo ich den Erhäng-
ten gefunden habe.»

«Aber den Gottlieb haben Sie schon selber herunter-
locken müssen.»

Ich weiß nicht, hat der Brenner es sich nur eingebildet,
oder hat der Präfekt jetzt wirklich ein bißchen gelächelt,
wie er gesagt hat: «Ich hab den Gottlieb angerufen und gefragt, ob er sich nicht die Duschen noch einmal anschauen
will, weil ihm das vielleicht hilft bei seinen Erinnerungen.»

«Sie hätten nur nicht die weißen Plastiksäcke aus der Küche verwenden dürfen. Die haben keine Aufschriften. Solche verwenden die Sandler nicht.»

«Keine Aufschrift? Das hat mich verraten?»

«Aber geklingelt hat es bei mir erst, wie mir wieder eingefallen ist, daß das Fräulein Schuh so für den Präsidenten John Fitzgerald Kennedy geschwärmt hat.»

«Fräulein», hat der Präfekt protestiert. «Sie sprechen von einer Mutter.»

«Ihre Mutter hat dafür gesorgt, daß Sie das Amt übertragen bekommen haben, als Ihr Vorgänger sich unmöglich gemacht hat.»

«Der hat sich ausgerechnet das Mädchen geschnappt, das für den damals berühmtesten Tenor reserviert war. Das war der erste, der nur mehr mit Jungfrauen nach Salzburg zu locken war. Heute geht es fast nur mehr so. Wenn man denen nicht diesen Service bietet, hat sofort eine andere Stadt die führenden Festspiele.»

«Darum war es auch so schlimm, daß der Gottlieb die Daten gestohlen hat.»

«Die Daten waren so verschlüsselt, die hätten niemandem was genützt. Gefährlich ist es erst geworden, wie dann Sie die Mary Ogusake ausgeforscht haben.»

«Der René hat sie gefunden.»

Der Präfekt hat gelächelt. «Ein starker Bursche. Ich habe einfach gewartet, bis er einkaufen gegangen ist.»

«Sie haben die Mary aber nicht einfach getötet. Warum haben Sie sie so zugerichtet?»

Der Präfekt hat nur ganz leicht den Kopf geschüttelt.

«Den Gottlieb haben Sie dagegen ja richtig liebevoll verpackt.»

«Ich hätte mir gewünscht, daß man ihn erst nach Schulschluß findet. Damit die Schüler nichts mitkriegen.»

Weil Kinderliebe natürlich immer im Vordergrund, da hat der Sportpräfekt sogar in diesem schwierigen Moment nicht aus seiner Haut heraus können. Und der Brenner hat jetzt nicht länger nachgefragt, warum er die Mary so zugerichtet hat. Eigentlich hat er es gar nicht so genau wissen wollen. Er hat noch ein paar Plastiktaschen herausgezogen, weil ihm vorgekommen ist, daß sich ganz innen doch ein Gegenstand verbirgt.

«Die Verführung», hat der Präfekt jetzt doch noch geantwortet. «Wenn man der Verführung einen Kopf abschlägt, wachsen zwei nach.»

«Sie müssen es ja wissen. Als Zuhälter waren Sie ja sehr erfolgreich.»

«Zuhälter», hat der Präfekt verächtlich gesagt. «Was glauben Sie denn, wie wir das hier alles finanziert haben? Den Park, das Birkenwäldchen, die Fußballplätze, die Leichtathletikanlage, das Hallenbad, die Sporthalle. Alles in den letzten Jahren erworben mitten im teuersten Salzburger Stadtteil. Und allein die Dachkirche hat fünf Jahre Reingewinn unserer Agentur verschlungen. Glauben Sie, das kann man aus den Schillingspenden von irgendwelchen Rentnerinnen bezahlen?»

«Sie wollten etwas für den Priesternachwuchs tun, wenn Sie schon selber versagt haben.»

«Mein ältester Sohn ist jetzt zwölf. Er spürt die Berufung.»

«Und die Mädchen haben Ihnen nicht leid getan?»

«Das ist das allerschlimmste», hat der Präfekt gesagt. «Denen hat das Spaß gemacht.»

Wenn jetzt der harte Gegenstand eine Pistole gewesen wäre, hätte der Brenner den Präfekt wahrscheinlich erschossen. Aber es war keine Pistole. Je mehr Taschen der Brenner herausgezogen hat, um so weicher ist der Kern geworden. Und am Schluß war es dann doch nur die allerletzte Plastiktasche, die so fest zusammengepreßt war, daß es sich bis zuletzt angefühlt hat, als würde sich was darin verbergen.

«Wieso haben Sie sich eigentlich da drinnen umgezogen, wenn Sie doch heraußen so viel Platz gehabt hätten? Sie sind ja eigens noch einmal zurück», hat der Brenner auf die Wasserlachen zwischen der Kabine und den Armaturen gedeutet, «nachdem Sie heraußen das Wasser abgedreht haben.»

«Die Macht der Gewohnheit. Diese Garderobekästchen gibt es nur hier in den drei Präfektenduschen. In den Knabenduschen hinten sind früher Gummibeutel gehängt, in denen man die Kleidung während des Duschens aufbewahren konnte. Es war nicht gern gesehen, daß die Knaben nackt herumlaufen.»

«Die Verführung», hat der Brenner genickt.

«Es ist übrigens noch was drinnen», hat der Präfekt auf das Garderobetürchen gedeutet. «Etwas, das Ihnen einiges erklären wird.»

Der Brenner hat einen Schritt in die immer noch dampfende Duschkabine gemacht und das schmale Garderobetürchen geöffnet. Und nach der leeren Plastiktasche gleich die nächste Enttäuschung. Weil im Garderobekästchen hat sich auch nichts verborgen. Aber so ist es im Leben. Oft, wenn du zu angestrengt nach etwas Ausschau hältst, übersiehst du, daß sich hinter deinem

Rücken die interessantesten Dinge abspielen. Jetzt hat der Brenner ein bißchen zu spät bemerkt, daß der Präfekt die Duschkabine zugesperrt hat.

Zuerst hat er sich noch Gedanken darüber gemacht, warum man die Tür von außen zusperren kann. Aber dann hat er schon den Präfekt draußen das Wasserrad drehen gehört. Und kurz darauf hat er das Wasser schon heranrauschen gehört, und kurz darauf hat er das Wasser schon gespürt, und kurz darauf hat der Brenner sich gedacht, der Präfekt hat nur das rote Rad aufgedreht, der hat vollkommen auf das grüne Rad vergessen.

Und wie es dann noch wärmer geworden ist, hat der Brenner sich gedacht, wärmer darf es jetzt aber nicht mehr werden. Du mußt wissen, daß der Brenner sowieso schon nicht der Größte war, den Frauen hat sein Quadratschädel gefallen, seine Pockennarben, seine zentimetertiefen Wangenfalten, seine komischen blauen Augen, und wenn eine unbedingt eine starke Schulter gesucht hat, der Brenner hat zwei davon gehabt. Aber für seine Größe ist er noch nie berühmt gewesen, und da hat er nicht unbedingt zu heiß gewaschen werden und womöglich dadurch eingehen wollen.

Und ob du es glaubst oder nicht, bevor er gespürt hat, daß das Wasser den Siedepunkt erreicht, hat er es gehört. Weil das siedende Wasser hat in den alten Rohren gearbeitet, daß der Brenner richtig Mitleid mit den Rohren gekriegt hat. Und er hat richtig Mitleid mit den Fliesen und mit der weißen Kabinentür gekriegt, auf die das siedende Wasser von seinem Körper weggespritzt ist.

Über den Brenner kann man viel Schlechtes sagen, aber eines muß ich ihm lassen, er war kein Mensch, der zu übertriebenem Selbstmitleid geneigt hat. Weil die Kabine war so eng, daß kein Entkommen war vor dem wunderbar breiten Brausestrahl, und der Duschkopf an der Decke war so massive Vorkriegstechnik, daß er nicht zu ruinieren war. Wie er in den Händen vor lauter Brandblasen schon kein Gefühl mehr gehabt hat, hat er es auch eingesehen.

Und jetzt hat er doch noch Selbstmitleid mit seinen Füßen bekommen, daß er zu hüpfen angefangen hat wie dieser Amerikaner in den alten Filmen, wo die Schuhe immer so geklappert haben.

Und jetzt hat er doch langsam Selbstmitleid mit seinem viel zu breiten Rücken bekommen, weil egal, wie flach er sich mit dem Bauch an die Wand gedrückt hat, sein Rücken ist trotzdem verbrüht worden, daß der Brenner vor Selbstmitleid gejault hat. Und zum erstenmal in seinem Leben hat er sich gewünscht, daß er kleiner wäre, womöglich nur halb so groß, weil dann hätte er sich vielleicht irgendwie in das lächerlich kleine Garderobekästchen quetschen können.

Und bei Selbstmitleid immer die große Frage, soll man den Rücken komplett aufgeben und dafür die Vorderseite schonen, oder soll man die Vorderseite aufgeben und den Rücken schonen, oder soll man die Belastung aufteilen? Auf die Gefahr hin, daß am Ende alles verbrannt ist, und am Sterbebett sagen dir die Ärzte, wenn nur 70 Prozent deiner Haut verbrannt wären, hättest du noch eine gewisse Überlebenschance gehabt.

Du siehst schon, vor lauter Selbstmitleid hat der Brenner jetzt eher melancholische Gedanken gehabt. Und vor lauter Selbstmitleid ist er jetzt in seiner Kabine rotiert, als würde er es darauf anlegen, möglichst viel von seinem Körper dem Strahl auszusetzen, damit er so schnell wie möglich erlöst wird.

Und ob du es glaubst oder nicht. Im nächsten Moment hat der Brenner eine Marienerscheinung gehabt.

13

«Wie kann ein alter Depp noch so blöd sein!» hat die Marienerscheinung geflucht. «Läßt der sich von dem Gestörten in die Kabine hineinlocken! Das gibt es ja gar nicht!»

Die Erscheinung hat geschimpft und geschnauft wie ein zorniger Bierführer. Und sie hat sogar ein bißchen nach Alkohol gerochen. Aber das hat dem Brenner nichts ausgemacht, Hauptsache, der siedendheiße Regen hat aufgehört. Und ich muß sogar sagen, das war einmal ein Erlebnis, wo der Brenner wahrscheinlich noch im hohen Alter sagen wird, möchte ich nicht missen.

Am meisten hat es ihn fasziniert, daß die Erscheinung so eine tiefe Stimme gehabt hat. «Aber die Dummen haben das Glück», hat sie geschimpft und dabei ganz eigenartig gezuckt und gepulst, wie ein überlebensgroßer Muskel, der etwas Schweres schleppt und dabei sonderbar herumzuckt. «Um ein Haar wären Sie da drinnen verreckt», hat die Marienerscheinung geschnauft.

Oder eigentlich war es keine Marienerscheinung. Eigentlich war es mehr eine Mariechen-Erscheinung.

«Mariechen», hat der Brenner geflüstert. Weil das ist da direkt neben seinem linken Aug auf dem Muskel gestanden, der gezittert hat vor Anstrengung. Ist ja klar, einen tropfenden, halb bewußtlosen Brenner zerrst du natürlich nicht ganz ohne Anstrengung aus einer Kabine heraus.

«Ich hab geglaubt, wir haben uns schon geduzt», hat der Brenner gesagt, weil alte Regel, Leute, die schon fast tot waren, sagen meistens bei ihrer Rückkehr ins Reich der Lebenden etwas ganz Gewöhnliches.

«Du alter Depp», hat der René geantwortet, «wie kannst du dich nur von dem Gestörten in die Kabine hineinlocken lassen?»

Der René hat den vollkommen aufgeweichten Brenner mit dem quietschnassen Gewand auf die Holzbank gelegt und auf den Mann gedeutet, der am Boden gelegen ist. Das dürfte der Präfekt Fitz gewesen sein, auch wenn es rein theoretisch nicht hundertprozentig zu erkennen war.

«So gestört ist der gar nicht», hat der Brenner geantwortet, als wäre jetzt alle Zeit der Welt, um ein bißchen Täterpsychologie zu betreiben. «Was glaubst du, wie die neue Dachkirche finanziert worden ist? Das Birkenwäldchen. Die Sportplätze. Das kommt doch heutzutage mit den Kirchenbeiträgen überhaupt nicht mehr herein, wo alle Leute aus der Kirche austreten. Zahlst du eigentlich Kirchensteuern?»

Die Kleider vom Brenner haben immer noch gedampft, und eigentlich wäre es gesünder gewesen, wenn er sie gleich ausgezogen hätte. Erstens Erkältung immer gefährlich, wenn du erhitzt und durchnäßt bist, zweitens natürlich die Verbrennungen, da hat er dann im nachhinein wahnsinnige Schmerzen gehabt, weil die Textilfasern so mit seiner Haut verschmolzen sind, daß er seine Kleider fast nicht mehr heruntergebracht hat.

Aber noch hat er überhaupt nichts gespürt. Weil zu sehr abgelenkt durch den Mann, der auf dem Boden gelegen ist. Der das Birkenwäldchen finanziert hat und die Glaskuppel und die Sportplätze. Mit an Sicherheit grenzender Wahrscheinlichkeit hat es sich dabei um den Präfekt Fitz gehandelt. Direkt gesehen hat der Brenner ihn ja nicht, weil der Mann eine weiße Plastiktasche über dem Kopf gehabt hat. Ausgerechnet die weiße, die der Brenner als letzte aus der vorletzten Plastiktasche gezogen hat.

«Für mich ist das ein Gestörter. Du hättest sehen sollen, wie der die Mary zugerichtet hat. Ich war nur eine halbe Stunde einkaufen, und wie ich zurückgekommen bin –»

«Ich hab es gesehen.»

Der Brenner hat auf den Mann gedeutet, der immer noch die weiße Plastiktasche auf dem Kopf gehabt hat. Er hätte sie sich natürlich selber herunterreißen können, wenn ihm der René nicht vorsichtshalber mit einer gelben *Billa*-Tasche die Arme an die Vorkriegswasserleitung gebunden hätte.

«Da sieht man, daß du nichts von Plastiktaschen verstehst», hat der Brenner gesagt. «Sonst hättest du ihm nicht ausgerechnet die weiße aufgesetzt. Die weißen halten nichts mehr aus. Darum hab ich ja gewußt, daß es kein Sandler gewesen sein kann, der den Gottlieb eingepackt hat.»

«Das war auch der da», hat der René für einen Moment geglaubt, er kann dem Brenner noch irgend etwas Neues erzählen.

«Die weißen Plastiktaschen sind nichts wert», hat der Brenner dem René noch einmal erklärt.

«Dafür ist sie gut genug», hat der René auf den Mann

am Boden gedeutet. Und ich muß auch sagen, sie hat ihren Zweck erfüllt. Das hat man jetzt gerade deshalb so gut gesehen, weil das Material so schlecht war, daß der Inhalt schon blau durchgeleuchtet hat.

«Der hat jahrelang die philippinischen Jungfrauen an die Festspielstars verhökert», hat der René gesagt, während er zugeschaut hat, wie die weiße Plastiktasche über dem Kopf vom Präfekt Fitz immer blauer geworden ist, nicht so blau wie eine *Kleider-Bauer*-Tasche, aber doch eindeutig nicht mehr blütenweiß, sondern von Sekunde zu Sekunde ein stärkerer Blaustich.

Der René hat geglaubt, er kann dem Brenner imponieren mit dem, was ihm die Mary Ogusake erzählt hat. Dann natürlich große Enttäuschung, daß der Brenner alles weiß.

«Seine Mutter ist Sekretärin bei den Salzburger Festspielen», hat ihm der Brenner gesagt. «So haben sie die Jungfrauen verteilt.»

Der René hat nicht besonders beeindruckt geschaut, weil er hat jetzt dem Brenner auch nicht den Gefallen tun wollen, daß er sich überraschen läßt.

«Und heute hat er auch noch die Frau von deinem Bewährungshelfer in die Felsenreitschule gestoßen.»

«Die verrät keinen mehr.»

«Auf der Bühne der Felsenreitschule hat sie irgendwie gar nicht echt ausgesehen.»

«Waldbrand aus», hat der René gesagt, quasi Feuerwehrkommando.

«Die war von Anfang an mit von der Partie. Für nichts überläßt dir nicht einmal die Kirche eine Villa am Mönchsberg.»

«Und mich sperren sie dafür ein, daß ich eine Woche lang mit der fünfzehnjährigen Tochter vom Gefängnisdirektor meinen Spaß habe.»

«Sie war ja noch nicht fünfzehn», ist der Brenner jetzt ein bißchen kleinlich gewesen.

«Und die haben über Jahrzehnte ihre Jungfrauen verscherbelt und bleiben ungestraft.»

«Gar so ungestraft wirkt der Präfekt aber nicht», hat der Brenner auf die Plastiktasche gedeutet, die immer blauer und blauer geworden ist, das hat jetzt schon ausgesehen, als würde in einer weißen Plastiktasche wirklich eine dunkelblaue *Kleider-Bauer*-Plastiktasche stecken, oder wer hat noch blaue Plastiktaschen, *ONE*-Telefone, oder bei *Levi's*-Jeans habe ich auch schon blaue gesehen. Jeans natürlich, da paßt blau, aber zu einem menschlichen Kopf gehört an und für sich nicht blau.

«Vielleicht solltest du ihm jetzt doch langsam den Knopf aufmachen», hat der Brenner gesagt und sich auf der Holzbank ein bißchen auf die Seite gedreht, daß seine Hose regelrecht gequietscht hat, ungefähr so wie es quietscht, wenn du in einem Sumpf spazierengehst.

Aber der René hat nicht einmal reagiert. Er ist einfach stehengeblieben und hat gesagt: «Ich bin nur eine halbe Stunde einkaufen gewesen, und wie ich zurückgekommen bin, hat es in dem Wohnzimmer ausgesehen, wie –»

«Ich hab es gesehen», hat der Brenner gesagt.

«Und da sagst du, das ist kein Gestörter.»

«Ich glaube, er hat eine richtige Wut auf die Weiber gehabt.»

Der René ist auf einmal zornig geworden, weil der

Brenner das so zurückhaltend gesagt hat. Ich muß zur Verteidigung vom Brenner sagen, daß er immer noch getropft hat wie ein nasser Hund, und er hat jetzt keine Energie mehr für einen empörten Tonfall gehabt. Der René natürlich war jetzt, nachdem er sich tagelang im Keller versteckt hat, so richtig in Schwung. Zuerst den Fitz überwältigt und ihm die Plastiktasche aufgesetzt, dann den Brenner gerettet, jetzt sind ihm in seinem jugendlichen Eifer vor Wut regelrecht die Tränen in die Augen gestiegen, und er hat geschrien: «Diese Gestörten beten Tag und Nacht eine Jungfrau an! Und weißt du, wohin das führt?»

«Sie glauben, wenn das Jungfernhäutchen einmal verletzt ist, ist es schon egal.»

«Kann man gleich die ganze Puppe zerfetzen.»

«Vielleicht solltest du ihm jetzt doch langsam den Knopf aufmachen», hat der Brenner gesagt. «Die Tasche ist ja schon ganz blau.»

«Mach sie ihm doch selber auf», hat der René getrotzt.

Aber der Brenner hat nicht darauf reagiert. «Wie kommst du eigentlich hier herunter?» hat er ruhig gefragt.

«Ich verstecke mich schon seit Tagen hier. Ich bin halb verhungert.»

Der Brenner hat nicht viel Mitleid gezeigt. Ihm ist jetzt selber so kalt geworden, als hätte er in Eiswasser geduscht, und sein Gewand hat einen regelrechten Regenguß von sich gegeben, so hat er auf einmal gezittert.

«Dieser Drecksack hätte dich da drinnen glatt verbrannt.»

«Verbrennen und ertrinken in einem», hat der Brenner

gesagt. «Wo man sonst immer diskutiert, was der schreck-lichere Tod ist.»

Er hat versucht aufzustehen. Aber sein Tausendkilo-Gewand hat ihn auf der Holzbank regelrecht festgeleimt. «Ich glaube, das würde uns jetzt als Selbstjustiz ausgelegt, wenn wir ihm nicht den Knopf aufmachen.»

«Und ich bin nur auf Bewährung heraußen. Die fünf Jahre für Selbstjustiz wäre es mir ja wert. Aber um die drei Bewährungsmonate täte es mir leid.»

«Dann würde ich ihm jetzt schnell den Knopf auf-machen», hat der Brenner geantwortet.

Aber der René hat sich nicht von der Stelle gerührt.

«Andererseits muß ich immer an seine Frau denken», hat der Brenner jetzt selber zu bedenken gegeben. «Die schaut sowieso schon den ganzen Tag ziemlich traurig aus der Wäsche.»

«Wenn du mit dem Typen verheiratet bist.»

«Er hat ihr fünf Kinder angehängt, und dann ist sie noch schuld, daß er nicht Priester geworden ist.»

«Für die wäre es besser, wenn wir ihm den Knopf nicht aufmachen.»

Der Brenner hat mit den Schultern gezuckt. «Wenn er zehn Jahre ins Gefängnis kommt, kann sie sich weiter für ihn aufopfern und kriegt überhaupt kein Geld. Und als Witwe kriegst du vom Staat eine gute Pension.»

«Du meinst, wir könnten es vielleicht als Notwehr hin-drehen», hat der René versucht, ein bißchen die Über-legungen vom Brenner zu interpretieren.

«Notwehr mit Plastiktasche klingt nicht übertrieben glaubwürdig.»

«Oder wenigstens Notwehr-Überschreitung.»

«Notwehr-Überschreitung», hat der Brenner sinniert. «Das könnte sich eventuell ausgehen. Wenn du einen guten Anwalt hast.»

«Kennst du einen guten?»

«Einen Anwalt finden wir schon.»

«Aber ich hab keine Rechtsschutzversicherung.»

«Das ist schlecht. Eine Rechtsschutzversicherung sollte jeder Mensch haben.»

Ich sage immer, die Menschen diskutieren und diskutieren, und inzwischen geht die ganze Entwicklung an ihnen vorbei. Weil die Tasche über dem Kopf vom Präfekt Fitz war jetzt sowieso schon so blau, *Kleider-Bauer*-Tasche nichts dagegen! Und da hätte es inzwischen sowieso wahrscheinlich nichts mehr genützt, wenn sie ihm die Tasche heruntergenommen hätten, also die ganze Diskussion im Grunde reines Blabla.

«Dann mach ich ihm jetzt den Knopf auf», hat der René gesagt und sich zum Präfekt Fitz hinuntergebeugt.

«Diesen Knopf hab ich eigentlich nicht gemeint», hat der Brenner gemurmelt, aber gar so heftig ist sein Widerspruch nicht gewesen. Weil der René hat dem Präfekt nicht den Knopf der Plastiktasche aufgemacht, sondern den Hosenknopf.

«Den Reißverschluß mach ich ihm auch noch auf.»

Der Brenner hat genickt: «Dann mußt du ihm aber die Hände auch losbinden.»

«Was du nicht sagst.»

«Und schau gut, ob er keine Wunden an den Handgelenken hat.»

«Keine Wunden. Ich hab ihn ja erst angebunden, wie er schon nachgegeben hat.»

«Und mich hast du inzwischen noch kochen lassen?»

«Was heißt kochen? Ich hab doch das heiße abgedreht und das kalte aufgedreht.»

«Ich hab geglaubt, das war nur Einbildung, daß es auf einmal so eiskalt geworden ist.»

«Die Eier muß man ja nach dem Kochen auch abschrecken», hat der René gelacht.

«Sehr witzig.» Bei dem Thema ist dem Brenner gleich noch ein bißchen kälter geworden, sprich neuer Gewand-Regenguß auf den Fliesenboden hinunter vor lauter Schüttelfrost.

Der René hat jetzt die Hände des Toten genommen und sie in die Unterhose gesteckt, die unter dem geöffneten Reißverschluß zum Vorschein gekommen ist. «Ich weiß auch nicht, in letzter Zeit ist das die reinste Mode», hat er geseufzt. «Damit die Leute mehr Spaß bei der Selbstbefriedigung haben, strangulieren sie sich nebenbei oder setzen sich eine Plastiktasche auf. Ein Zellennachbar von mir ist sogar daran gestorben, weil er nicht schnell genug war.»

«Ich hab in der Zeitung gelesen, daß es in England sehr populär ist.»

«Da haben sie schon fast keine Abgeordneten mehr im Parlament, weil die sich immer mit den Plastiktaschen am Kopf selbstbefriedigen.»

«Und jetzt fangen sie bei uns auch schon damit an.»

«Verstehst du das? Würde dir das was geben?»

Der Brenner hat den Kopf geschüttelt. «Da hätten wir den Präfekt Fitz fragen müssen, warum er so was macht. Was ihm daran gefällt, daß er so ein hohes Risiko eingeht nur für ein bißchen Selbstbefriedigung.»

«Ja, den hätten wir fragen können.»

«Aber jetzt ist es zu spät.»

«Ja, leider. Das hätten wir uns früher überlegen müssen. Meistens erfährt man von so einer Vorliebe bei den Menschen ja erst, wenn es zu spät ist.»

Der Brenner hat genickt. Und dann hat er sich doch langsam aufgesetzt. «Ich muß jetzt hinaufgehen und den Regens verständigen. Damit das diskret abgewickelt wird und nicht in die Öffentlichkeit gelangt. Wäre nicht gut für den Ruf des Marianums, daß ein Präfekt so etwas macht.»

«Und was soll ich tun?»

«Am besten, du verschwindest noch für ein paar Tage. Bis alles geklärt ist.»

«Und du willst das allein durchziehen?»

«Ich schnapse mir das mit dem Regens schon aus. Ich werde ihm anbieten, daß wir es gemeinsam als Selbstmord hindrehen. Daß der Präfekt aus Verzweiflung über seine Taten sich selbst gerichtet hat. Damit nicht auch noch diese unappetitliche Selbstbefriedigungssache in die Zeitung kommt.»

Aber bevor der Brenner dann den Regens verständigt hat, hat er sich noch schnell was Trockenes angezogen.

14

Das mit der Plastiktasche hat der Brenner der Notapothekerin aber natürlich nicht erzählt. Ihr hat er es genauso erzählt, wie er und der Regens es der Polizei weisgemacht haben.

«Und nach dem Gottlieb und der Dr. Ogusake und
dem Waldbrand hat er auch noch sich selber?»

«Ja, umgebracht», hat der Brenner genickt.

Wenn sie ihn ein bißchen besser gekannt hätte, dann
wäre ihr seine feste und sichere Antwort natürlich gleich
verdächtig vorgekommen. Aber sie hat ihn ja erst vor
ein paar Stunden richtig kennengelernt. Deshalb kann
ich auch verstehen, daß der Brenner ihr nicht die volle
Wahrheit anvertraut hat, wie er und der René mit voller
Absicht der Frau Fitz und ihren fünf Kindern zu einer
schönen Witwenpension verholfen haben. So etwas erzählt man besser nicht herum, bei aller Liebe.

Obwohl, Liebe in dem Sinn war es vielleicht noch gar
nicht. Nur weil er mit der Notapothekerin im Bett gelegen ist. Er hat sogar aufpassen müssen, daß er nicht ein-
schläft. Weil die ganze Nacht zuerst mit dem Regens
und dann mit der Polizei verhandelt. Und um fünf Uhr
früh hätten sie ihm sogar noch angeboten, daß sie ihn
ins Krankenhaus bringen, die Verbrennungen anschauen
lassen. Aber er hat sich gewehrt, quasi so schlimm ist der
Sonnenbrand auch wieder nicht, nur ein bißchen unter
dem Rotlicht der Mutter Oberin eingeschlafen.

Von Schlafengehen war um fünf Uhr früh trotzdem

keine Rede. Er war viel zu aufgekratzt. Außerdem hat er keine Ohropax mehr gehabt, weil das Ohr als Beweismittel der Polizei übergeben, und er hat ja gewußt, in einer Stunde rattert die Klingel im Marianum.

Und außerdem ist ihm die Notapothekerin eingefallen. Wenn sie Nachtdienst hat, geht sie am Morgen heim, und wenn sie Tagesdienst hat, kommt sie am Morgen in die Arbeit, hat der Brenner sich ausgerechnet. Und wenn sie frei hat, habe ich Pech gehabt.

Aber kein Pech. Glück! Weil sie hat wirklich Nachtdienst gehabt, und nach einem Nachtdienst mit den unzähligen Schlafunterbrechungen ist der Mensch natürlich ein bißchen aus den Fugen, da ist das Psychische extrem bedürftig nach einer netten Bemerkung. Jetzt hat der Brenner gegenüber der Notapothekerin eine nette Bemerkung gemacht.

Eine Viertelstunde, bevor die Apotheke aufgesperrt hat, hat er beim berühmten Fenster geklingelt. Sie ist verschlafen dahergekommen und hat ihn gefragt, was er will.

«Ein Beruhigungsmittel.»

«Ein Beruhigungsmittel? Am frühen Morgen?»

«Irgendein Valium oder so was.»

«Da brauchen wir ein Rezept.»

«Wir?»

«Wir!» hat sie ein bißchen streng gesagt. «Sie brauchen eines, damit Sie das Valium kriegen, und ich brauche eines, damit ich es Ihnen geben darf. Einen Nerventee kann ich Ihnen rezeptfrei geben, oder Baldriantropfen.»

«Das nützt nichts, ich brauch was Ordentliches.»

Ihre Augen sind jetzt ein bißchen dunkel geworden,

ich glaube fast, daß der Mann vor dem Fenster ihr in dem Moment noch gar nicht so sympathisch war. «Wozu brauchen Sie denn so was Starkes?»

«Ich hab eine heikle Aufgabe vor mir.»

«Und das schaffen Sie nicht ohne Valium?»

«Es kann ja auch was anderes sein.»

«Ich würde sagen, Sie sehen mir danach aus, daß Sie es auch ohne medikamentöse Unterstützung schaffen.»

«Ohne medikamentöse Unterstützung?»

Sie hat ernst genickt. Aber richtig böse ist sie auch nicht geworden, daß der Brenner sie nachgemacht hat. Du darfst nicht vergessen, zum Fenster einer Notapothekerin kommen die ganze Nacht die furchtbarsten Gestalten, Besoffene, Drogensüchtige, Prostituierte, Depressive, Schauspieler, alles. Da ist dieser Herr mit den sonderbaren Wangenfalten schon fast ein Lichtblick gewesen.

«Sie haben sowieso schon Magenprobleme.» Weil Apothekerinnen immer gern ein bißchen Diagnose.

«Neinnein, mein Magen ist in Ordnung. Die Falten hab ich ja nur, damit ich immer zwei frische Rasierklingen transportieren kann.»

«Das ist gescheit. Da brauchen Sie nie wegen Rasierklingen bei einer Nachtapotheke läuten.»

«Aber wegen Beruhigungsmittel.»

«Wofür brauchen Sie denn das Beruhigungsmittel?»

«Ich fürchte mich vor einer Blamage.»

«Ach was. Ich verspreche Ihnen, daß es keine Blamage wird.»

«Sie versprechen es mir? Kann ich mich auf Sie berufen?»

«Gern», hat sie gesagt und lächelnd das Fenster zugemacht. Weil die hat sich jetzt gefreut, daß in fünf Minuten ihr Dienst vorbei ist.

Wie sie dann drei Minuten nach acht aus der Apothekentür herauskommt, steht der Brenner da und sagt: «Gehen Sie mit mir frühstücken?»

Sie hat sich schroff weggedreht und ist in ihr Auto gestiegen. «Was ist mit Ihrer schweren Prüfung?» hat sie im Einsteigen über die Schulter gefragt.

«Das war ja die Prüfung», hat der Brenner gesagt. «Ich hab mir gedacht, ohne Beruhigungsmittel trau ich mich nie, Sie das zu fragen.»

Jetzt nicht daß du glaubst, mit so einem blöden Gerede landest du im Bett irgendeiner Notapothekerin. Aber sie hat in dem Moment erst seine wunderschönen Verbrühungen entdeckt. Natürlich leuchtende Augen, ja was glaubst du.

Rein medizinisch dürfte es aber doch auch wieder nicht gewesen sein, daß sie ihn drei Stunden später gleich in ihr Bett gelegt hat. Weil warum ist dann sie auch nackt gewesen? Quasi fast ein bißchen wie damals beim Spiritual Schorn, daß auch sie sich ausgezogen hat. Und ich muß sagen, Gott sei Dank, weil in Zivilkleidung hat sie dem Brenner zuerst gar nicht mehr so gut gefallen wie im weißen Apothekermantel. Vielleicht daß er doch von der Polizei her eine gewisse unnatürliche Vorliebe für Uniformen gehabt hat.

Und die Notapothekerin natürlich hin- und hergerissen von der fürchterlichen Mordgeschichte, die der Brenner ihr den ganzen Vormittag lang erzählt hat. Normalerweise hat er nicht mit seinen Fällen angegeben, aber er hat jetzt ein bißchen was loswerden müssen, wahrscheinlich doch eine gewisse Überbelastung, weil das mit der Ermordung des Täters im Grunde genommen nicht vollkommen korrekt abgelaufen ist.

So einfach war es aber gar nicht mit dem Loswerden, weil natürlich hat die junge Frau zwischendurch alles besser gewußt. Die ist nicht davon heruntergestiegen, daß die Marmortafel am Salzachufer gar kein Wetterbericht war. Sondern angeblich sogar ein Kollege von ihr geschrieben, Salzburger Apotheker mit dichterischer Begabung, das war mordswichtig für sie, hat der Brenner es eben gelten lassen.

«Aber warum hat dieser Präfekt Fitz überhaupt gewußt, daß der Gottlieb die Karteikarte gefunden hat, wo ‹Mary macht Petting› draufgestanden ist?» ist das aufgeweckte Mädchen schon beim nächsten Punkt gewesen.

«Mary macht Petting», hat der Brenner gelacht.

«Haha!»

«Der Gottlieb ist zu seinem Therapeuten auf den Mönchsberg hinauf. Aber nicht, um mit ihm zu reden. Sondern weil der philippinische Botschafter in der Prader-Villa gewohnt hat. Mitgekriegt haben das Gespräch aber alle, auch die Frau vom Dr. Prader.»

«Der Waldbrand», hat die Notapothekerin spöttisch die Augen verdreht. Weil sie selber lange, kastanienbraune Haare, auch nicht schlecht, aber es hat ihr nicht gefallen, wie begeistert der Brenner vom Waldbrand erzählt hat.

«Genau. Und die hat natürlich sofort den Fitz informiert. Und der hat kurzen Prozeß gemacht, weil die Gelegenheit gerade günstig war. Und wie der René ihr dann den Schlüssel für die Agentur geklaut hat, hat es der Fitz natürlich auch sofort gewußt, daß wir hinter der Mary Ogusake in Petting her sind.»

«Petting, weißt du, woran mich das erinnert?»

«Daß du dir morgen das neue *Bravo* kaufen mußt.»

«Genau!» hat sie gelacht. Sie hat blütenweiße Bettwäsche gehabt, genauso schön weiß wie ihr Apothekermantel, und ihre Haut hat im Kontrast dazu so knusprig braun geleuchtet, daß jeder normale Mensch auf der Welt sofort den Wunsch nach Petting verspürt hätte.

Jetzt, warum ist der Brenner nicht auf diese Idee gekommen? Und «nicht auf die Idee gekommen» ist noch untertrieben. Er hätte alles auf der Welt gegeben, nur damit er nicht mit dieser Schönheitskönigin in Berührung kommen muß.

Wenn ich sage, ihre Haut hat knusprig braun geleuchtet, dann muß ich sagen, der Brenner hat auch geleuchtet. Und zwar so, als wäre ihm die Haut abgezogen worden. Immer wieder hat die Apothekerin ihn unter die Lupe genommen, aber der Brenner hat sich gewehrt, weil natürlich männlicher Stolz voll intakt, nur Haut nicht intakt, und er hat sich nicht als ihr Patient sehen wollen. Aber die Notapothekerin natürlich ganz geil auf Diagnose machen, hat sie immer wieder damit anfangen müssen.

«Waden: Verbrennungen ersten Grades», hat sie schon wieder die Ärztin spielen müssen, «Oberschenkel: Verbrennungen ersten Grades, Fußsohlen: Verbrennungen zweiten Grades, Bauch: Verbrennungen ersten Grades, Rücken: Verbrennungen ersten Grades, Schultern: Verbrennungen zweiten Grades.»

«Geh, hör auf», hat der Brenner sich gewehrt, weil sie

hat ihn unbedingt einschmieren wollen, und er hat es ge-
haßt, eingeschmiert zu werden. «So schlimm ist es auch
wieder nicht.»

«Was heißt da, hör auf? Ein starker Sonnenbrand
fällt schon unter Verbrennungen zweiten bis dritten
Grades.»

«Na eben. Daran stirbt man ja auch nicht gleich.»

«Sondern erst später», hat die Notapothekerin jetzt so
zünftig getan, daß der Brenner fast doch noch ein bißchen auf die Idee mit dem Petting gekommen wäre. Aber
es hat ihm ja schon viel zu weh getan, sich nur im Bett
umzudrehen.

«Ohren: Verbrennungen dritten Grades.»

«Geh, hör auf.»

«Popo: Verbrennungen ersten Grades bis zweiten
Grades.»

«Geh!»

«Penis –»

«Geh, hör auf. Wie du redest.»

«Penis!» hat sie gelacht.

«Geh bitte. Das klingt so medizinisch. Ihr immer mit
eurem Latein.»

«Wie soll ich denn sonst sagen?»

«Was weiß ich.»

«Wie sagst denn du? Phallus?»

«Geh bitte.»

«Glied? Geschlechtsteil? Zipferl?»

«Hör auf.»

«Nudel? Lümmel? Pillermann? Schwengel? Schwanz?»

«Reicht schon. Ich glaub dir's schon.»

«Pimmel? Latte? Liebesknochen? Ständer?»

«Das hast du alles aus dem *Bravo*?»

«Ding? Pfeife? Gurke?»

Unglaublich, dieses Mädchen war nicht halb so alt wie der Brenner, und ein Gesicht wie eine Madonna, aber die hat Wörter gekannt, daß dem Brenner fast schwindlig geworden ist.

«Spatzi? *Pint? Cock? Dick?*»

«Was?«

«Englisch, wenn dir lateinisch nicht paßt.»

«Auf englisch weißt du es auch noch?»

«Sicherlich», hat sie gegrinst, «*Prick, Pecker, Dr. Feelgood.*»

Der Brenner hat die Augen zugemacht und leise gestöhnt.

«Ich hör schon auf», hat sie gelächelt. «Aber wenn ich dich nicht angreifen darf, muß ich eben verbal auf meine Rechnung kommen.»

Aber er hat die Augen nicht wieder aufgemacht. Und er hat jetzt leise vor sich hin gewimmert.

«Tut es dir so weh?»

Der Brenner hat nichts gesagt. Er hat jetzt auch nicht mehr gestöhnt. Er hat nur fast tonlos vor sich hin gepfiffen.

«Was pfeifst du denn da?»

«Sag das noch einmal», hat der Brenner geflüstert.

«Was pfeifst du denn da?»

«Nein, das andere.»

«Tut es dir so weh?»

«Nein, das andere!» hat der Brenner sie ungeduldig angefahren.

Jetzt natürlich die Stirn in Falten, unglaublich, daß jemand mit so einer glatten Pfirsichhaut überhaupt solche

Falten machen kann, alles nur, um dem fremden Mann da zu signalisieren: So redest du nicht mit mir!

Aber der Brenner gleich wieder versöhnlich: «Das andere.»

«Was? Alle Ausdrücke noch einmal?»

«Das Englische.»

«Cock, dick, prick.»

«Weiter.»

«Hab ich noch mehr gesagt?»

«Ja, verdammt!» ist der Brenner schon wieder ungeduldig geworden.

«Pecker.»

«Nein.»

«Dr. Feelgood.»

«Ja, das», hat der Brenner geseufzt. «*Dr. Feelgood.* Ist das wirklich eine Bezeichnung für –»

«Sicher, paßt doch gut, oder?»

Statt darauf zu antworten, hat der Brenner ihr etwas erzählt. Aus einer Zeit, wo die Notapothekerin noch nicht einmal am Leben war. Polizeischule. Da haben er und der Irrsiegler einmal bei einem Rockkonzert ein bißchen was dazuverdient als Sicherheitspersonal. Und diese englische Band hat Dr. Feelgood geheißen.

Ein super Konzert, und nachher sind sie noch mit den Musikern auf ein Bier gegangen. Oder «ein Bier» vielleicht nicht ganz richtig ausgedrückt. Weil der Sänger von denen, quasi der Dr. Feelgood, der hat saufen können, daß es den Brenner nicht besonders überrascht hat, wie dann die Zeitung einmal eine kleine Todesnachricht über ihn gebracht hat. Andererseits, der Irrsiegler ist da schon Jahre tot gewesen.

«Die haben damals dieses Lied gespielt», hat der Brenner gesagt.

«Das du jetzt gepfiffen hast?»

«*I'm crazy about girls, I'm crazy about women.* Ein richtig gutes Lied. Und als Zugabe haben sie es wiederholt.»

«Das ist die Melodie? Wo du mir erzählt hast, daß kein Hinweis im Text war?»

«Dr. Feelgood», hat der Brenner gesagt. «Das wäre der Hinweis gewesen.»

«Dr. Phil. Guth», hat die Notapothekerin buchstabiert, als würde sie den Namen eines Medikaments von einem unleserlichen Rezeptzettel ablesen. «Da hättest du früher schalten müssen.»

Der Brenner hat nichts dazu gesagt.

«Was wird jetzt eigentlich aus der Heiratsagentur?»

«Was weiß ich. Irgendwer wird sie schon übernehmen. Vielleicht der Dr. Prader, damit er in seinem Haus bleiben kann.»

«Aber du hast doch gesagt, daß der nichts mit dem Jungfrauenhandel zu tun gehabt hat.»

«Hat er auch nicht. Er könnte ja eine normale Heiratsagentur daraus machen. Man soll immer an das Gute glauben.»

«Glaubst du, daß seine Frau noch leben würde, wenn du mehr auf deinen Dr. Feelgood gehört hättest?»

«Was weiß ich.»

«Und die Mary Ogusake?»

«Nachher ist man immer gescheiter.»

Der Brenner ist jetzt ein bißchen einsilbig geworden. Er hat die Melodie pfeifen müssen, die sich sein Hirn so viele Jahre lang gemerkt hat.

«Was wird jetzt eigentlich aus dem Fräulein Schuh?»

«Für das bißchen Zuhälterei wird sie nicht viel kassieren. Der Anwalt wird die ganzen Sünden auf ihren Sohn schieben.»

«Und was wird aus dem Schorn?»

«Bischof», hat der Brenner müde gesagt.

«Weißt du was?» hat die Notapothekerin keine Ruhe gegeben. «Die halben Krankheiten, gegen die sich die Leute bei uns Medikamente holen, kommen von zuviel Hygiene.»

«Mhm», hat der Brenner im Einschlafen gesagt.

«Und weißt du was? Das ist typisch, daß diese grausige Schorn-Geschichte auch in der Dusche angefangen hat. Beim Hygiene-Unterricht.»

«Hyäne», hat der Brenner gemurmelt. «Als Kind hab ich immer Hygiene mit Hyäne verwechselt.» Weil da hat er sich jetzt ein bißchen mit der Kindheit von der Witwe vom Gottlieb schmücken wollen.

«Hygiene und Hyäne!» hat sie begeistert ausgerufen. «Weißt du was? Du warst ein Wunderkind.»

«Sicher.»

«Zuviel Hygiene ist für den Körper nämlich wirklich eine Hyäne», hat sie behauptet. «Vor allem für die Haut. Und wie man an deinem Jungfrauen-Internat sieht: auch für die Seele.»

«Wenn man die Augen zuhat, könnte man bei dir glauben, man redet mit einer Sandlerin.»

«Wie bitte? Stink ich?»

«Weil du so philosophisch bist.»

«Paß auf», hat die Notapothekerin ihn gewarnt, «wenn du frech wirst, mach ich gleich Hygiene-Unterricht mit dir.»

«Hyäne-Unterricht», hat der Brenner mit geschlossenen Augen gemurmelt.

Die Notapothekerin ist jetzt endlich einmal still gewesen. Ich möchte nicht sagen, bedrohlich still. Aber es kann sich jemand noch so vorsichtig über dich beugen, völlig geräuschlos, und nicht die geringste Berührung, du spürst es doch irgendwie, daß etwas in der Luft liegt.

«Das klingt, als wäre deinem Hasenschartenpräfekt das ‹G› abhanden gekommen», hat sie auf einmal aus einer anderen Richtung gesagt, irgendwie mehr über ihm als neben ihm. Das hat der Brenner genau gemerkt, weil wenn du die Augen zuhast, bist du ja mit allen anderen Sinnen sofort besser, Gerüche, Geräusche, alles. Aber gespürt hat er sie immer noch nicht, und die Augen hat er auch nicht aufgemacht.

«Hasenscharte ist vorn bei den Lippen», hat der Brenner mit geschlossenen Augen gesagt. «Für das ‹G› braucht man die Lippen nicht, da braucht man das Zäpfchen im Rachen.»

«Was du nicht sagst.»

«Aber der Schwester von meinem Großvater hat das Zäpfchen wirklich gefehlt, die hat kein ‹G› sagen können.»

«Geh!»

«Genau, das hat die nicht sagen können», hat der Brenner mit geschlossenen Augen gelächelt.

Sie hat ihn immer noch nicht berührt. Aber trotzdem hat er sie vom Kopf bis zu den Zehenspitzen gespürt, als hätte die Notapothekerin sich in eine Art Gänsehaut auf dem Brenner-Körper verwandelt. Aber er hat sich immer noch mit eiserner Disziplin gezwungen, die Augen nicht aufzumachen.

«Wenn du nicht aufpaßt, nehm ich dir auch gleich dein Rachenzäpfchen weg», hat die Notapothekerin aus ungefähr null Zentimeter Entfernung behauptet.

«Geh», hat der Brenner mit geschlossenen Augen gelächelt.

Und dann hat die Notapothekerin nichts mehr gesagt.

Und dann hat sie sich auf ihn gestürzt. Hyäne nichts dagegen.

Foto: Lukas Beck

Wolf Haas

«Wolf Haas schreibt die komischsten und geistreichsten Kriminalromane.» Die Welt

Brenners erste Fälle
Auferstehung der Toten
Der Knochenmann
3-499-23705-9

Auferstehung der Toten
Roman
«Ein erstaunliches Debüt. Vielleicht der beste deutschsprachige Kriminalroman des Jahres.» (FAZ)
Ausgezeichnet mit dem Deutschen Krimi-Preis 1997.
3-499-22831-9

Der Knochenmann
Roman. 3-499-22832-7

Komm, süßer Tod
Roman
Ausgezeichnet mit dem Deutschen Krimi-Preis 1999. 3-499-22814-9

Silentium!
Roman
Ausgezeichnet mit dem Deutschen Krimi-Preis 2000. 3-499-22830-0

Ausgebremst
Der Roman zur Formel 1
3-499-22868-8

Wie die Tiere
Roman
Der beste Freund des Hundes ist der Pensionist – und das Kleinkind sein natürlicher Feind ... «So wunderbar, dass wir beim Finale weinen müssten, hätten wir nicht schon alle Tränen vorher beim Lachen verbraucht.» (Die Zeit)

3-499-23331-2

Weitere Informationen in der Rowohlt Revue oder unter www.rororo.de